FILE.30-01

◉文＝沙月樹京

MIYAMOTO Kana

宮本　香那

★《世界にふたりだけ》2021年、727×606mm、アクリル・綿布・木製パネル
★（表紙）《好きと嫌いを行ったり来たり》2021年、410×318mm、アクリル・キャンバス

★《永い眠りからさめて》2020年、333×333mm、アクリル・綿布・木製パネル

★《愛をこめて》2021年、333×333mm、アクリル・綿布・木製パネル

決して届かない思いを届けようとする
少女の屈折した心情

★《わたしの赤ちゃん》2019年、530×455mm、アクリル・綿布・木製パネル

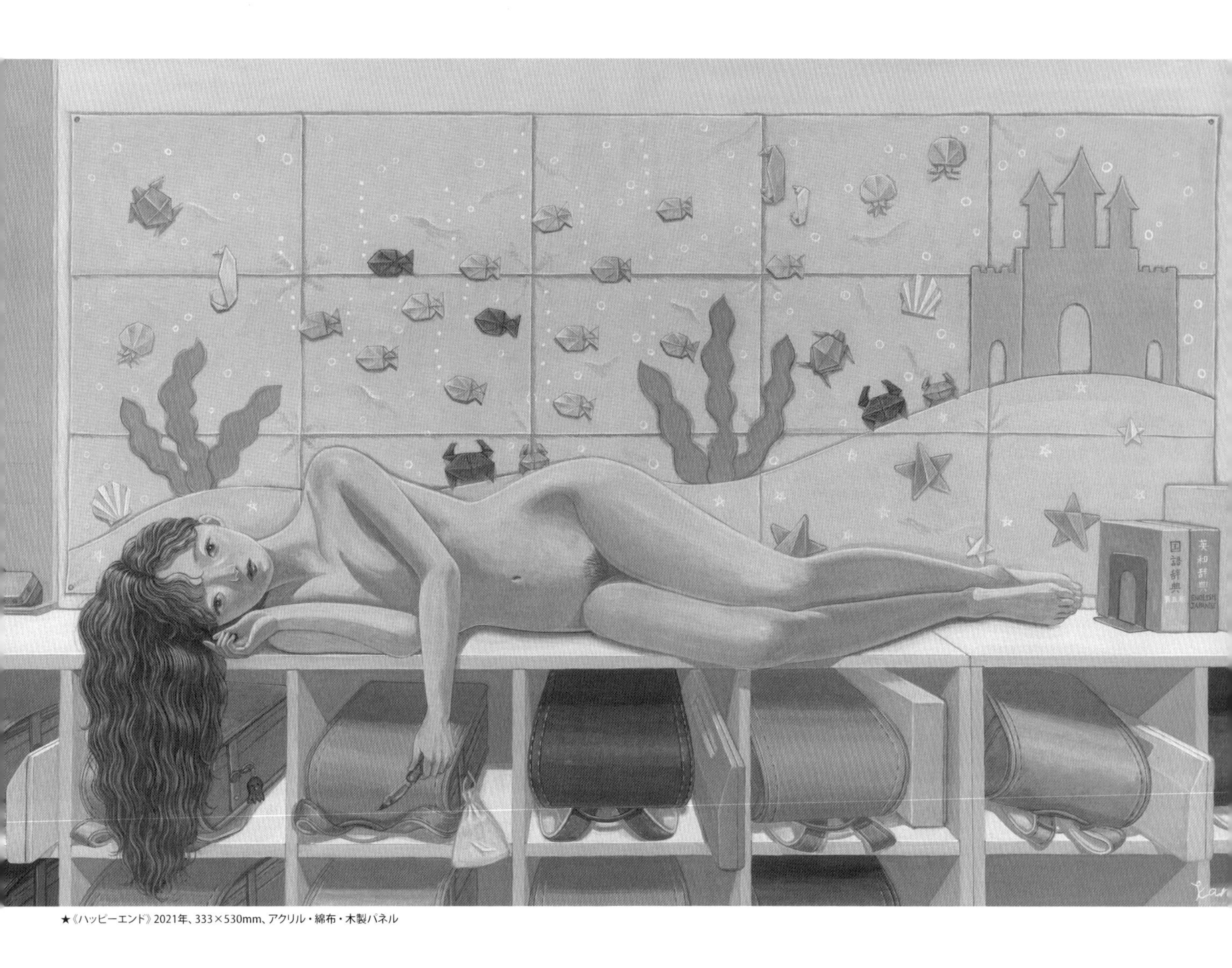

★《ハッピーエンド》2021年、333×530mm、アクリル・綿布・木製パネル

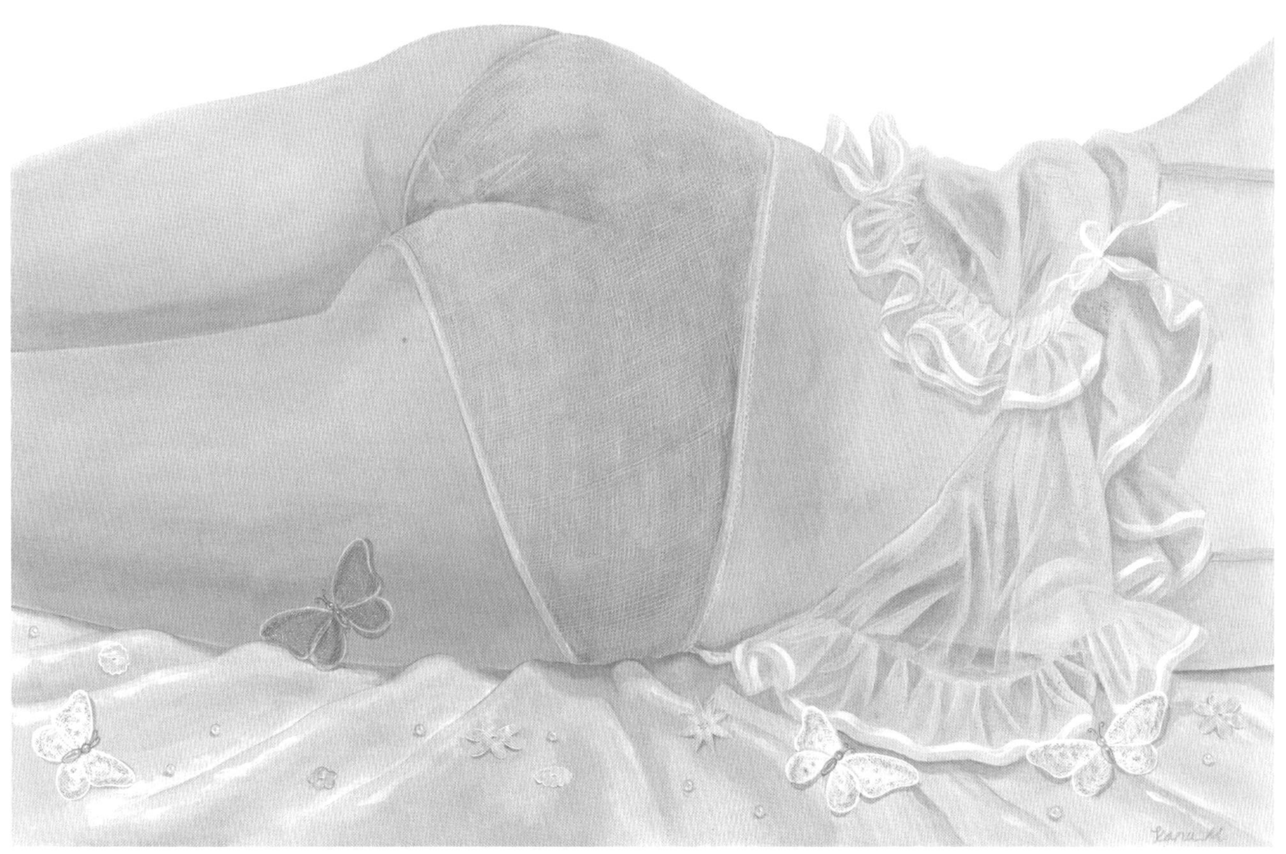

★《ai》2020年、410×606mm、アクリル・綿布・木製パネル

Kona M

★《わるい舌》2020年、455×530mm、アクリル・綿布・木製パネル

★《ちいさな恋人》2021年、180×140mm、アクリル・綿布・木製パネル

★《初恋の味》2021年、180×140mm、アクリル・綿布・木製パネル

★《誘惑》2021年、158×227mm、アクリル・キャンバス

★《ずっと見つめてる》2021年、158×227mm、アクリル・キャンバス

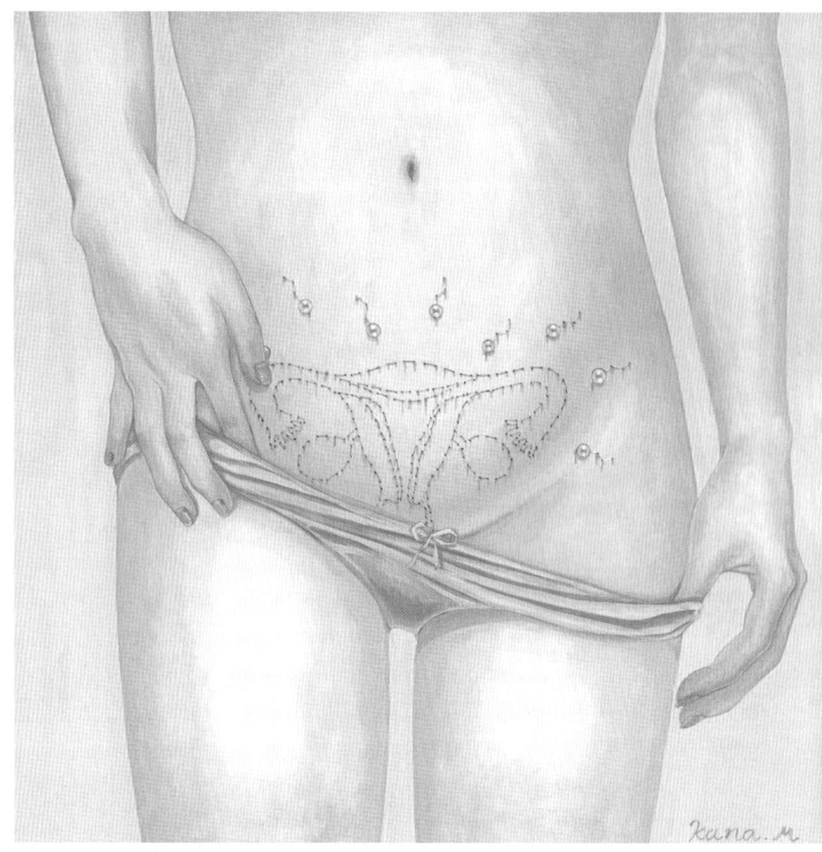

★《イミテーション》2021年、273×273mm、アクリル・綿布・木製パネル

★《赤い糸1》2021年、100×75mm、アクリル・キャンバス

★《赤い糸2》2021年、100×75mm、アクリル・キャンバス

パステル調の色彩で一方的で一途な思いの毒々しさを描く

パステル調の色彩で描かれた、現実感の希薄な空間。その中で少女は、なにかの遊戯に耽っている。色彩は明るいのに、どんより不穏な空気感が画面を覆っている。

個展のタイトル「世界にふたりだけ」は、中島みゆきの曲「この世に二人だけ」から取ったものだという。女性が片思いの相手に対し、ふたりを残してみな死に絶えたとしても、それでもあなたは私を選ばないと悲愴に歌い上げるその曲は、そのねじれた思いがまさに、宮本香那の描く少女たちに通じる。彼女らの一方的で一途な思いは決して相手には届かないであろう。しかしそれでも思いを届けようと偏執的な行為をやめない。

おそらく彼女らは、相手が自分を選ばないことに気づきたくないがために、必死にその行為に没頭しようとしているのではないか。外の風景が窺えない窓、異様な色に染まった雲も太陽も月もない空も、没頭し自分の世界に閉じこもっている彼女らの心象を表しているといえよう。

そして中島みゆきの「この世に二人だけ」では、片思いの相手のパートナーは、やわらかな色彩のパステル画を描いていたのだった。しかもその色彩は、彼の好みの色だと歌う。もしかしたら宮本の描くパステル調の色調も、その曲の世界をなぞったものかもしれない。相手の好みに合わせようという少女の思いをその色調に反映させているのでは――いやもちろん、それは穿ち過ぎだと思うが……。とはいえ、その優しげな色彩と、一方的な思いの毒々しさとの対比がまた、宮本の世界の魅力であることは確かだ。

（沙月樹京）

※宮本香那 個展「世界にふたりだけ」は、2021年5月20日〜30日に、東京・曳舟のgallery hydrangeaにて開催された。

★《中身は問わない、象徴であれ》2020年、227×158mm、いづみ紙にダーマトグラフ・油性色鉛筆

だれしもが
皮膚の下には
傷や痣だらけの
心を持っている

Ô Б

●文=志賀信夫

★《キユウセイ》2019年、680×540mm、リトグラフ

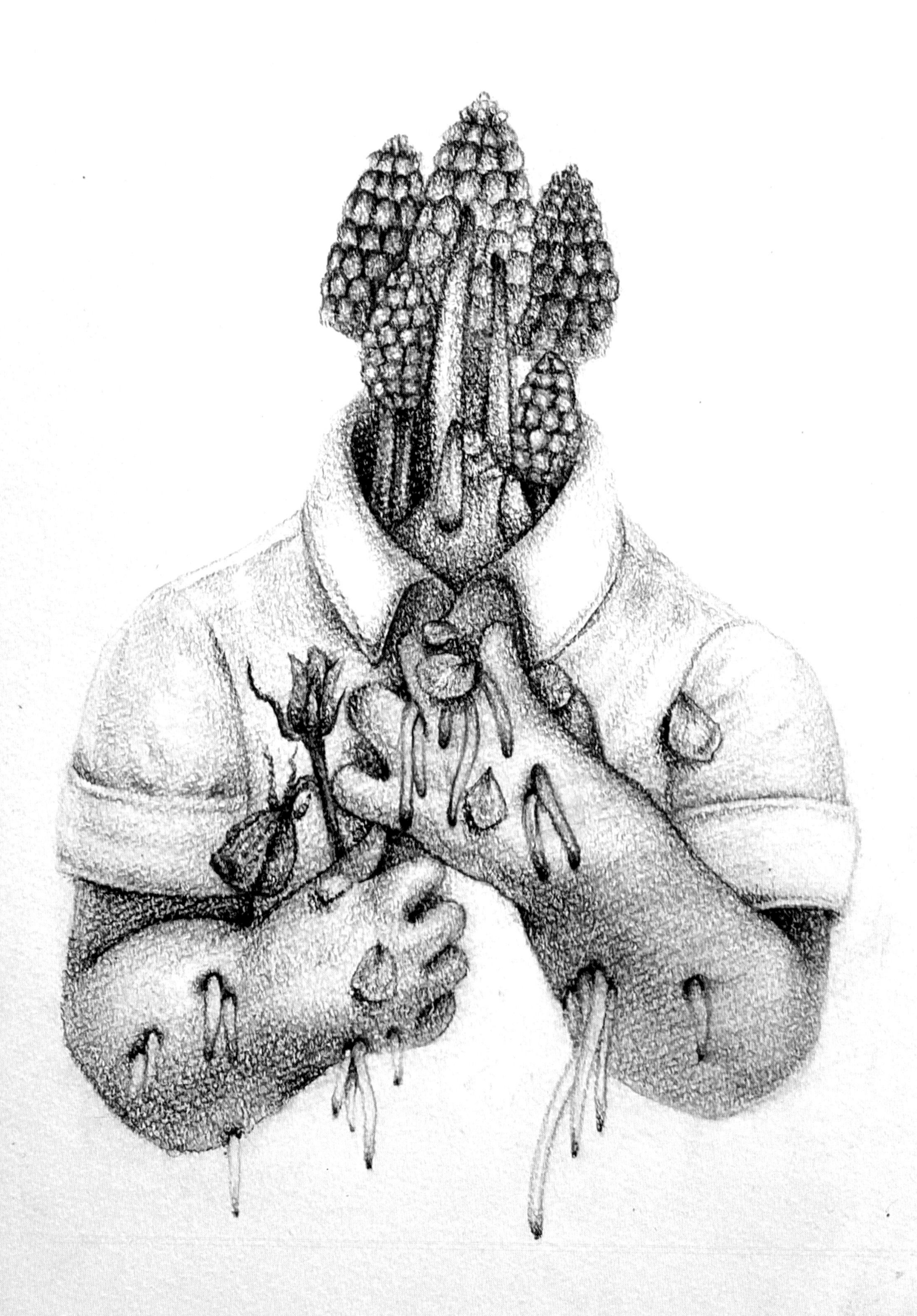

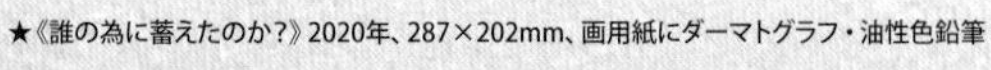

★《誰の為に蓄えたのか?》2020年、287×202mm、画用紙にダーマトグラフ・油性色鉛筆

★《怨嗟》2018年、300×240mm、リトグラフ

★《苦相 II 美しい言葉ほど鎧を剥ぐ》2020年、710×560mm、リトグラフ

作品は、鑑賞者の弱さや本性を映す鏡でありたい

植物図鑑を模写

ÔБ（オブ）の作品は、緻密に描かれた植物、昆虫と人体やその内部、骨などが重なり合って、非常にインパクトのある奇妙な世界、特異な世界を生み出している。他にない気持ち悪さを感じる人もいるだろう。それは視覚のみならず、触覚に訴えるようなものがある。これらの作品は、どういうところから生まれたのだろうか。

ÔБの母は器用だった。そのためÔБは、小さいころから、その器用な母に対抗するように、粘土や紙でものを作ったり、絵を描いたりしていた。また、植物図鑑に膨大な数の付箋をつけて、ページがボロボロになるまで読んだり、模写したりしていた。だが、それは絵が好きだからではなく、元来の負けず嫌いな性格と、植物を愛好する趣味からだったという。

そして、幼稚園のときに、園から配布された自然図鑑の一部の写実的な絵を嘗め回すように見ていた記憶もある。それもまた、植物を愛好する趣味からだった。これらは、現在のモチーフの源流である博物画への興味につながっているという。

そして、大きな契機は小学四年生のころだった。当時の担任は、音楽や美術などの芸術教養に大きな関心をもつ人だった。そして、その先生がある日、学校の中庭にある生徒が世話する薔薇園で、特別授業として写生の時間を設け、特別講師として地元の画家を呼んだ。ちなみに、現在、その広島県福山市は、市全体で名産品の薔薇を育てているそうだ。

その特別授業のときに、ÔБは、ありのままを模写する癖があり、特に植物を観察して描き写す行為に慣れていたため、いま振り返っても、わりと高い精度のスケッチを描き上げた。すると、その際、褒められるでもなく、その画家にも先生にも、同級生たちに

★《苦相 Ⅰ 始まりの1匹は善良な者だった》2020年、710×560mm、リトグラフ

もドン引きされた。このときつけあがった結果（と自らいうが）、絵を始めることになったのだという。

解剖のヴィーナスとの出会い

このエピソードから、ÖБが博物画的な植物の絵を描き続けていることは、よくわかる。それでは、人体を描くきっかけは、どうだろうか。

それは、通っていた画塾の講師室の本棚にあった、『バロック・アナトミア』（トレヴィル、一九九四年）を、背表紙の美しさから、中身も知らずに手に取ったことだった。だから、アナトミカル・ヴィーナス（解剖のヴィーナス）は、いまだにÖБの中で、理想の人体美でありつづけているという。

この本は、フィレンツェの「ラ・スペコラ」博物館にある解剖学のための蝋人形の写真集である。皮膚や骨、内臓などが取り外し可能になった解剖模型人形は、衝撃的で、かつ美しくエロティックだ。この博物館は一七九〇年、トスカーナ大公ペーター・レオポルト・フォン・ハプスブルク＝ロートリンゲンによって設立された。なかでも、人体解剖のための蝋人形は、美術としても評価されつつある。澁澤龍彥、荒俣宏などが示した解剖図絵の流れで出版されたこの写真集は、多くの人を惹きつけ、その後エディシオン・トレヴィルから再刊された。

ÖБは、母親が手術室業務が多かった看護師で、その体験談を幼いころから聞き慣れていたこと、本棚にあった看護学校時代の教科書をこっそり盗み見していたことが、こうしたことへの興味の基盤にあったのかもしれないという。

皮膚の傷や痣

そして、その人体にモチーフをたくさん描き込むのは、ÖБ自身がアトピー性皮膚炎疾患者であることが大きな理由だ。アトピー

★《苦相Ⅴ 取り繕っても、塩さえかければ》2021年、710×560mm、リトグラフ

によりストレスやアレルギーに敏感で、それが皮膚を傷つける行為に直結してしまい、幼少時は自分の傷や痣、できものだらけの皮膚があたりまえのものだった。そのため、まわりの子たちの何一つない人形のような肌が、逆に不自然に感じられていたという。

だが、年を取るにつれ、みんな自分ほどではないにしても、それぞれが固有の痣や傷、できものをつくっており、人形のような皮膚ではなかったことに気づいた。そして、自分がアトピーにより、皮膚にという表に出やすい体質だっただけで、みんな人形のように美しいわけではないのだと感じた。皮膚で覆われているだけで、一皮はいだら、みんなきっと、それぞれができものや傷や痣だらけの心があるのではないか、と思ってから、自然とこのような植物や昆虫などの集合体で表現するようになったという。

博物趣味

そのうえで、モチーフにする人体や骨格、動植物の標本などの構造への関心や、博物趣味が大きく関わってくる。その博物趣味は、父親の影響が非常に大きいらしい。

ÔБの父は建築業に携わっており、幼少期、父が持ち帰った建築図面の裏紙や端紙を、塗り絵や落書き帳の代わりにしてずっと育ってきた。また、小学生のころは、空前のパワーストーンブームで、熱狂的に鉱石も植物と同様に愛好するようになっていったが、父が、小さい鉱石標本を買い与えてくれた。そして、作品の『苦相－Ⅲ』の中に描かれている白化サンゴは、父親がかつて社員旅行先の海で拾ってきたものなのだ。

不安症とうつ

ÔБは、高校時代から現役受験時代は、自身でも特筆すべき特徴も何一つなく、中学時代から通い続けている画塾でデッサンを惰性でこなすだけだったという。ただ、人物課

★《苦相 Ⅳ 万能薬は存在しないが、》2021年、710×560mm、リトグラフ

題と牛骨モチーフだけは、強い関心を持って取り組んでいた。特に、モデルの皮膚や皮膚の下に存在する表情筋や骨の流れを、木炭や面相筆でなぞるように追っていた。当時から、人物課題の後にひどく心身が消耗する傾向にあり、これは現在に至るまで続くどころか悪化傾向にあるという。

非効率的な描き進め方とアガリ症がたたって浪人した一年間は、うつ病からくる身体症状に悩まされるなかで、自由課題で手に取った、蓮のドライフラワーに強く魅了されるようになった。また、このころは、背反する質感やテーマ同士を合わせることをコンセプトとして、制作していたという。

そして、女子美術大学の学部時代は、ずっとスランプに陥っており、脱することができたのは、卒業手前だった。自分の理想や美を表現することがあたりまえだと信じて描いてきたことが、自分には合わなかった。やがて、元来抱えていた吐き気や動悸を伴う不安症にのまれながら、真逆の方向へとシフトするようになった。

学部での終盤は、さまざまな人間関係の齟齬や裏切り、掌返しが次々と重なったために、心因性の発熱が何週間も続き、思考も神経も体力も摩耗した。そして自殺衝動に駆られながら、この世のすべてと自分の浅はかさを恨むように、五美大展の直前に、開腹図と虫の標本を掛け合わせたような少女の絵を制作した。これが現在の作品の源流のひとつになっているという。なお、五美大とは、日本大学芸術学部、武蔵野美術大学、多摩美術大学、女子美術大学、東京造形大学をさす。

離人症から祈りへ

大学院在学時は、負の感情から生み出すことへの自身への強迫観念と、同期生たちとの環境や考えの齟齬、他人の感情に振り回され続けることに、ひたすらに精神をすり減らされた結果、幼少期からあった離人症が悪

★《cancer・type4》2021年、200×100mm、リトグラフ

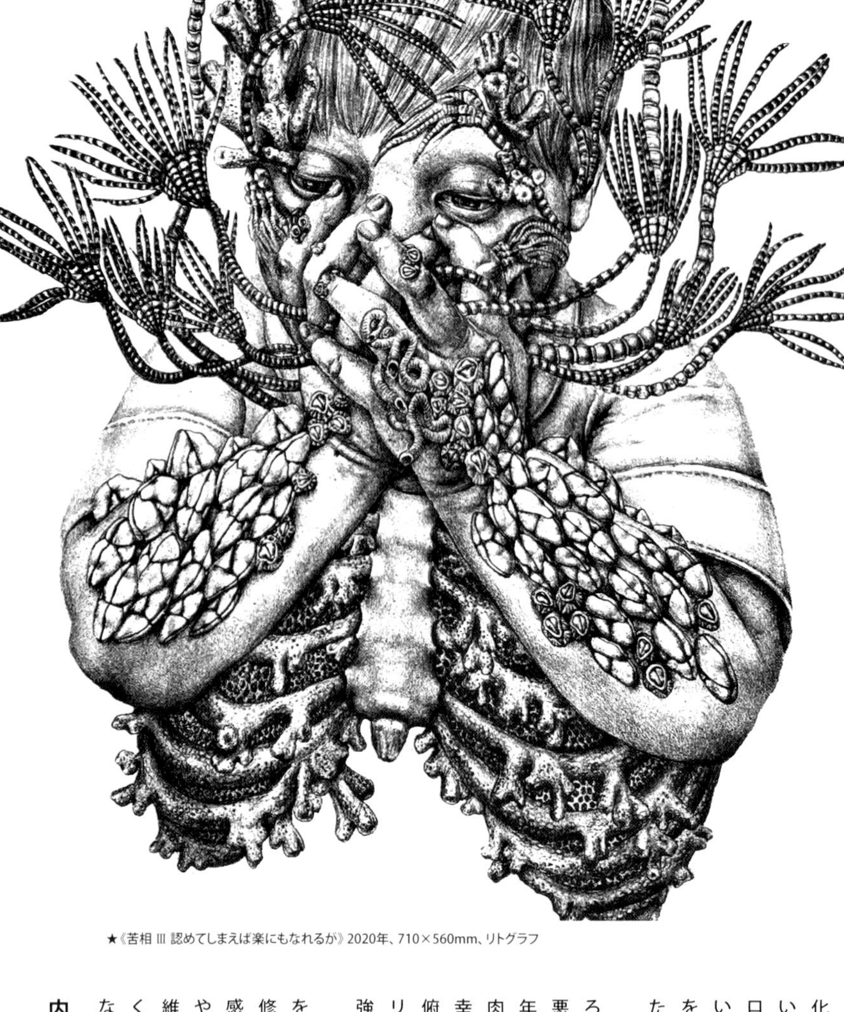

★《同調圧力・R》2021年、200×100mm、布にリトグラフ・綿・刺繍糸

★《苦相 III 認めてしまえば楽にもなれるが》2020年、710×560mm、リトグラフ

化し、一日の半分を、他人の身体を操縦しているような感覚に陥ってしまった。そして、コロナ禍直前は、大学に行こうとすると、ひどい動悸と吐き気に襲われるようになり、絵筆を何カ月も握ることができなくなってしまったそうだ。

　このころ、逃げるように実家に帰ったところ、大学の閉鎖とオンライン対応が始まり、悪化した離人症や大学に対する恐怖を、半年間休学せずに療養して緩和することが皮肉にもかなってしまった。そのため、幸か不幸か、離人症に悩まされたときに癖がついた俯瞰的な視点が、修了制作である「苦相」シリーズのモチーフや主題への向き合い方に、強く生かされているという。

　また、学部時代は恨みや絶望といった感情をぶつける描き方だった。それが、大学院の修了時には、絶望や悲しみ、恐怖が一定以上感じられた際に発生する、凪いだような穏やかな瞬間の感情を慈愛と仮定し、それを維持しながら、常に襲いかかる不安症からくる恐怖を前にして、祈るように描くようになったのだ。

内面を映す鏡としての絵画

　ÔБは、人間の感情や本性といった、いわば「不可視の人間の器官」を画面の中において可視化させた「標本」をつくること、そして何より、鑑賞者が自身の心の内にはらませている、感情や本性のカタチ、その人自身のかかえる弱さや本性、しがらみと向き合ってもらう契機になることを目的としている。そのために、作品に対して、芸術作品である以上に、相手の内面を映し出す「鏡」としての性質を持たせるように、常日頃心がけているという。

　それは、鑑賞者の内面を写し取って、標本瓶の中、プレパラートの中、バットの中に入れて、自らのありのままを直視させるような、だれにでも共通しうるアベレージ（平均）としての「標本」であり、鑑賞者の内面を直視させる「鏡」であるというのが、ÔБの作品のあり方である。それによって、鑑賞者が、自分自身の現状ありのままを受け入れることを促すことが、作品を通して鑑賞者にアクセスできることであり、救済であり、使命だと考えている。

他人の感情を題材に

　ÔБは、もともと、自分自身の個人的な考えや感情から題材をとって作品にすることを苦手としていた。中学時代からデッサンばかりやっていた弊害か、自分自身の内からイメージを創り出すという能力が、まわりにくらべて著しく欠如していたという。そして、長いスランプにあえいでいたなかで、ふと、自分自身から題材を産みだせないなら、他人から産みだせばよいのではないかと思った。昔から、人の相談や愚痴相手、ストレスのはけ口にされがちだったため、そのときの記憶や思考、その内容や相手の感情と類似する世間のニュースやSNSなどの話題を、頭の中でつないでつむぎだすように、作品をつくってみることにした。すると、それまでのスランプが嘘のように、うまくいくようになった。

　早期からデッサンばかりはじめていた経験で、自分の内から創造しづらいというデメリットが、眼前に広がる対象と、過去の経験則をもとに食らいつく能力という大きなメリットへと、大きく転換した瞬間だったという。

　この、鑑賞者の内面を映し出す「鏡」という視点と、「他人から題材を産む」という二つは興味深く、つながっている。アトピーや不安症、他人との関係からの絶望などで、自分の中に閉じこもることから、それを体験しているからこそ、見る人の内面を映し出すことができるということ。それは、前に述べられた、アトピーがきっかけの痣や傷が、自分

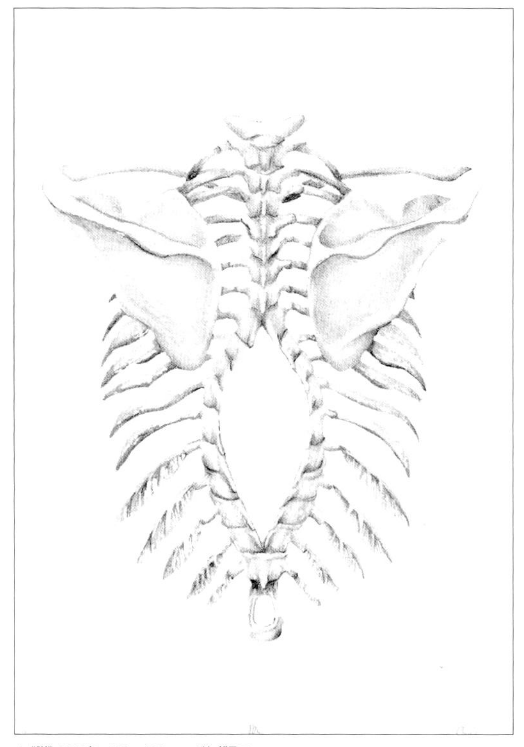

★《脱》2019年、240×190mm、リトグラフ

★《自己防衛/過剰》2018年、600×550mm、リトグラフ

だけでなく、だれでも抱いているという気づきと関わるものだろう。

それはまた、自分の中を掘り下げて生み出そうという苦しみから転じて、他人の相談や悩みなどの社会と関係で、題材が生まれるようになったこととも関わっている。つまり、自己の内面と社会との関係、他人と社会の関係も、実は、鏡のように対照しているということではないだろうか。

リトグラフの「平板」さ

では、ÔБの技法はどのようなものだろうか。

彼女は、リトグラフの一版刷りで制作している。通常、リトグラフは、多色刷りによる多重の色版が重視される。だが、黒色インク一色で刷ったリトグラフの描画面は、鉛筆画やインクの描画であるペン画とは違い、反射やマチエールのないフラットで均一な描画面を創り出すことができる。その描画面の均一性や平面性によって、どの距離や角度でも、均一で明瞭な描写を見ることができ、リトグラフの「平版」としての性質を、より体感できると、ÔБは考えている。また、一度行った描画はほぼ修正不可というリスクはあるものの、描画する支持体が砂目のアルミ板であるという点も、支持体の耐久性の高さを生かした描画など、紙に直接描画するのとは違った強い表現やタッチの重ね方が可能なのだ。

その技法は、どのように獲得したのだろうか。リトグラフの技法は大学で修得した。だが、ダーマトグラフの扱いや、それによるアルミ板への描写は、同じ工房の先輩からアドバイスも受けたが、独学によるものが大きい。ほかの描写系のリトグラフ作家の多くは、鉛筆画の技法を基盤としているが、ÔБは木炭画の技法や感覚を基盤にしている。そのためかどうか、温度によるダーマトグラフの芯のコンディション、つまり油分が多いため温かいとゆるく、冷えると固くなる、その好みも、多くの描写系リトグラフ作家とは真逆だという。例えば、人によっては、細かい描写をしやすくするために、ダーマトグラフを冷蔵庫に入れたりするが、ÔБは、少し緩くなったコンディションが得意なので、特に冬は手の中で温めたり、ドライヤーに少し当てて緩くさせたりしている。

版画を額から抜け出させる

シルクスクリーン以外の版画、特にÔБが扱っているリトグラフの版画は、たいていの場合、額の中に存在することを強いられているとÔБはいう。額縁の外に出たとしても、箱または製本という枠から出ることが難しい。紙のドローイングと版画の大きな差異は、インクによって均一（あるいは意図的な不均一）、フラットに起こされる描画面や色面なのに、版画は、額装でそれをわざわざ覆う、あるいは、印刷物ということから抜け出せていないように感じることが多いのだ。そのため、ÔБ自身は、展示の際に、可能なかぎり、額というパレルゴンから抜け出す策を講じていきたいと、最近、考えている。

影響を受けた美術家としては、子どもの顔の表現や、そしてモチーフとして子どもを用いる作風は、最初の師であるテンペラ画の花岡寿一（一九六八年〜）の影響がかなり強いと語る。そして、同じ版画家として尊敬しているのは、版種は異なるが、木口木版画の柄澤齊（一九五〇年〜）だ。

また、ÔБには、前に述べた「アナトミカル・ヴィーナス（解剖のヴィーナス）」が、表現における源流にある。そのため、グロテスクなものであるはずの人体の内側を、リアルに再現しながらも、どこか静謐で、かつ客観的にとらえている表現にとても関心がある。それに関連して、ヤン・シュヴァンクマイエルの映像や小川洋子の小説の中にも、人のグロテスクな部分や生々しい表現がありながらも、冷静に、客観的にとらえる不思議な静けさ、ホルマリン漬けの標本瓶のような、生々しさと客観性の共存を感じている。

近年、アートマーケットや、現代アートとしての発言力の強い作品において、ポップアートやコミック寄りのオタクサブカルチャー系や、描写や彫刻といったアカデミックな技術を使用しない「描かないアート」が勢力を占めているように感じる。だが、ÔБ自身は、描写や写実にも、現代アートのくりの中でまだまだできることはあるはずだと信じている。だからこそ、今後も変わることなく、描線の一本一本に、力を入れて描いていきたい、と締めくくった。

（志賀信夫）

●ÔБ（オブ）作品展　2021年9月22日（水）〜10月3日（日）月・火休／水〜金12:00〜19:30、土日祝12:00〜18:00 入場無料
場所／東京・馬喰横山 Gallery TK2 http://www.interart7.com

◉文＝沙月樹京／写真＝田中流

KAWAKAMI Tsutomu

川上 勉

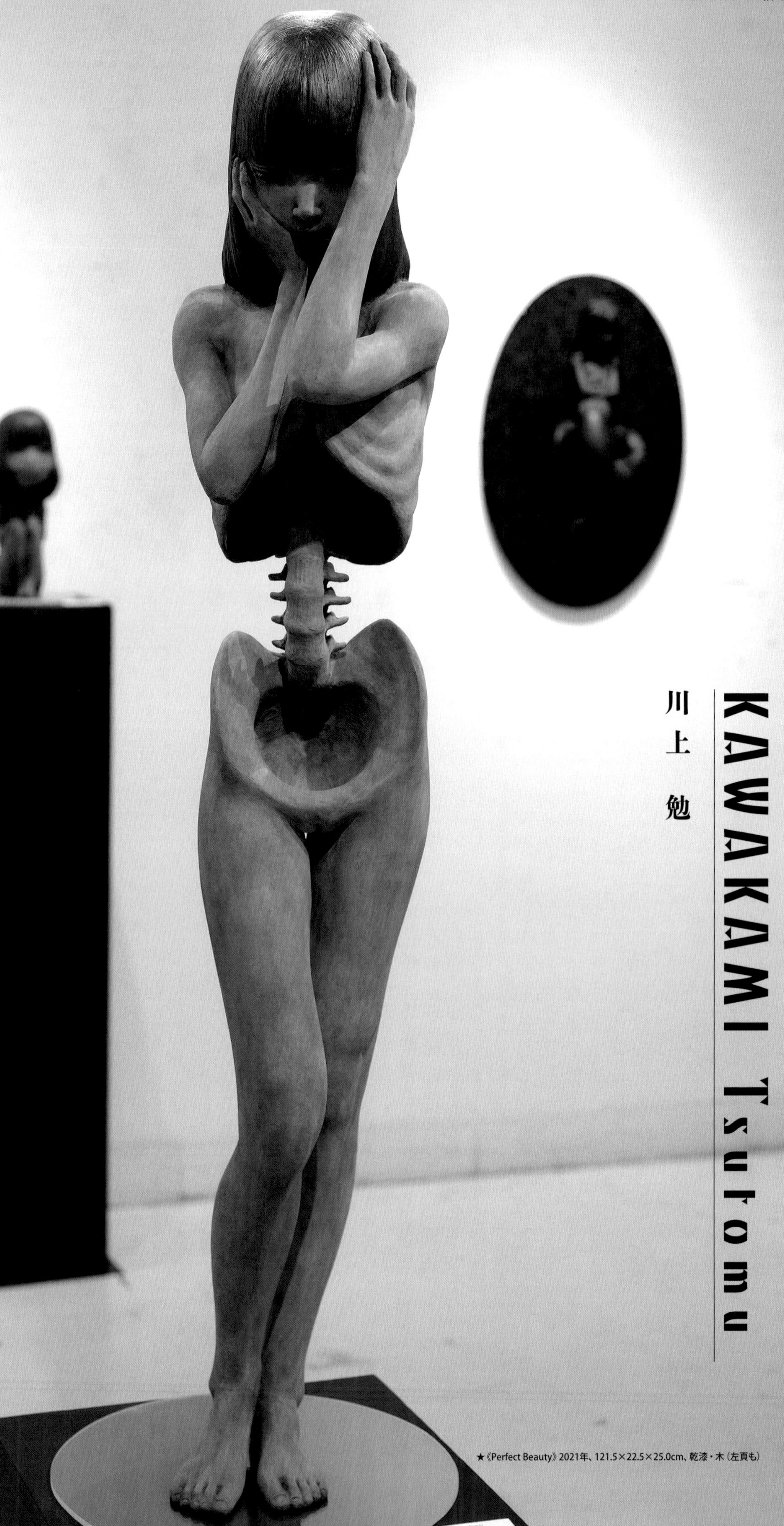

★《Perfect Beauty》2021年、121.5×22.5×25.0cm、乾漆・木（左頁も）

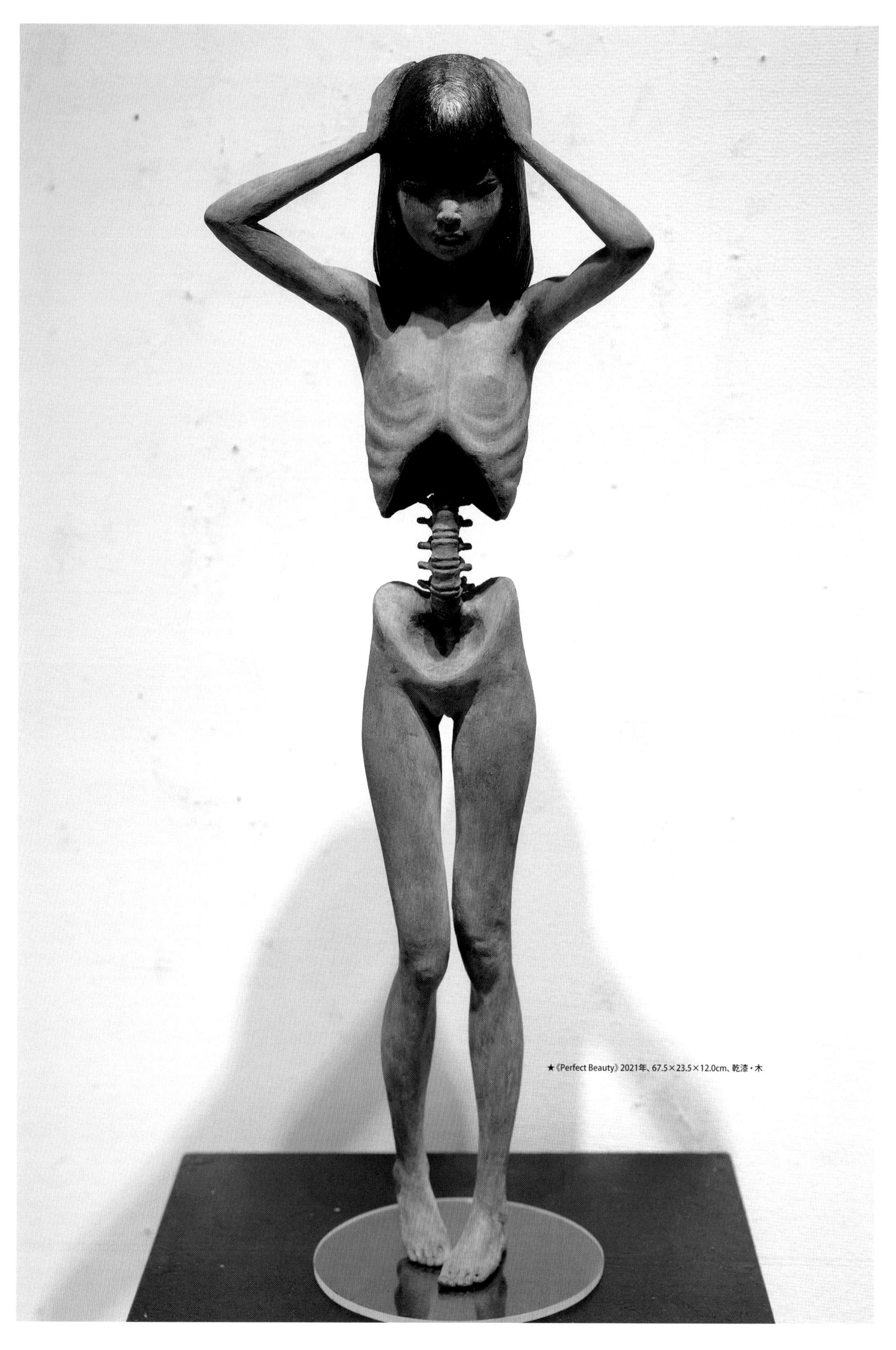

★《Perfect Beauty》2021年、67.5×23.5×12.0cm、乾漆・木

「死」の世界にあって
少女は軽やかに重力から解き放たれる

★《Death make it Eternal》2021年、92.0×21.0×17.0cm、乾漆・木

★《GOTH girl》2019年、57.0×13.5×14.5cm、乾漆

★《RINA/1977 9436 7799》2017年、
55.5×14.2×14.5cm、乾漆

★《YUZU/9927 2944 4253》2021年、
57.5×12.0×11.5cm、乾漆

★《Seiren》2021年、39.5×18.5×13.5cm、乾漆

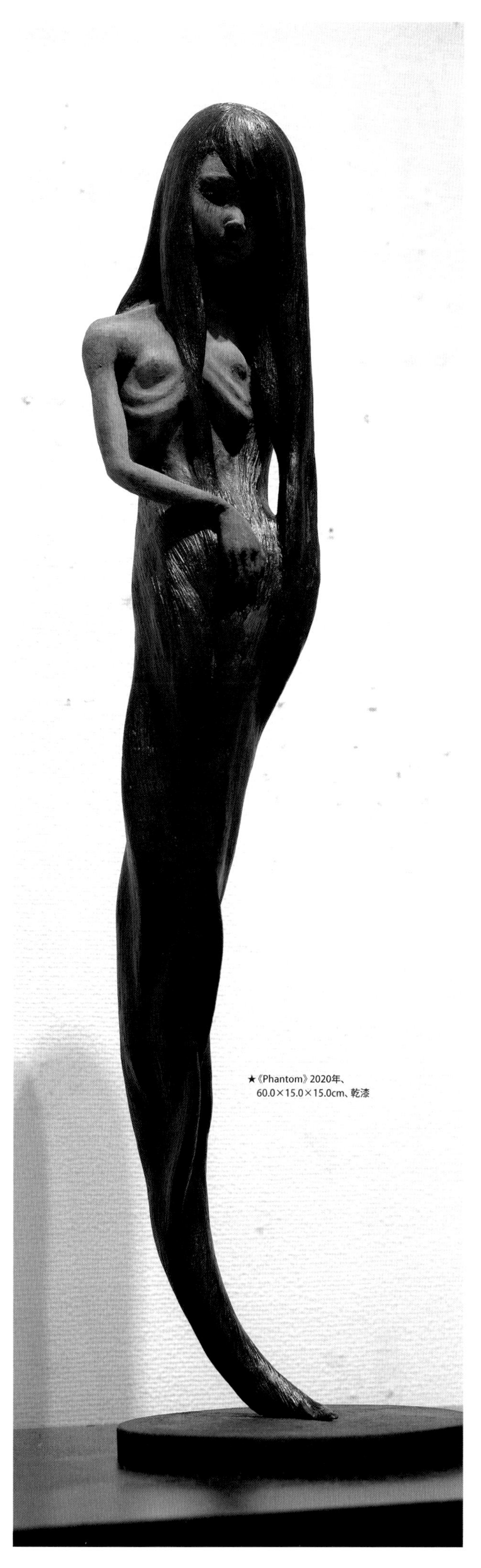

★《Phantom》2020年、
60.0×15.0×15.0cm、乾漆

★《Medusa》2021年、
60.5×42.0×11.0cm、乾漆

★《Sphinx》2019年、29.8×27.5×13.0cm、乾漆・木

★《Waq Waq fruit》2020年、
65.0×9.2×9.5cm、乾漆・木

★《Waq Waq fruit》2021年、
40.5×10.5×15.5cm、乾漆・木

★《Twenty Twenty》2021年、
30.0×12.0×14.0cm、乾漆

★《HANA/6647 9341 6605》2016年、
44.0×20.0×19.5cm、乾漆

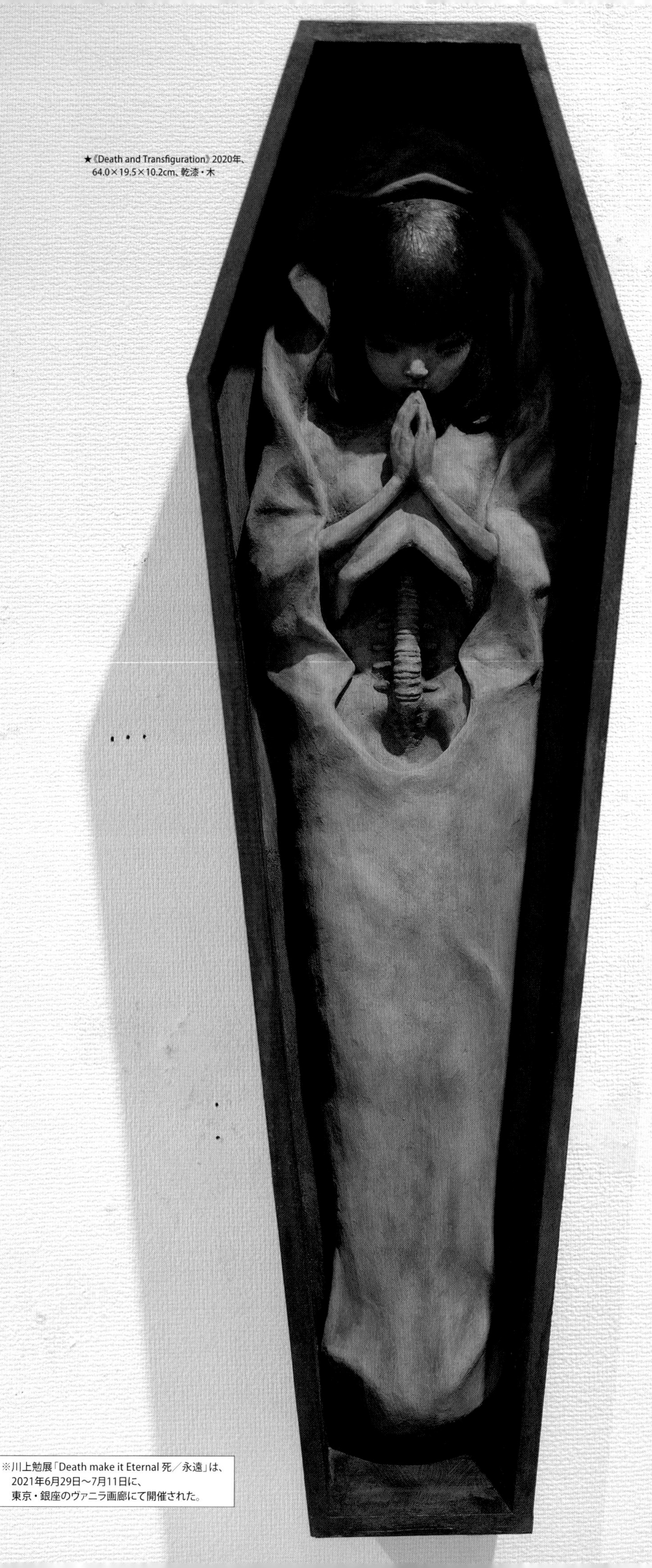

★《Death and Transfiguration》2020年、
64.0×19.5×10.2cm、乾漆・木

乾漆で巧みに表現された少女の「死」と次なる「生」

川上勉は、ヴァニラ画廊の個展では一貫して「死」と「少女」をテーマにした作品を発表し続けている。川上にとって「死」の表現は「生」の表現と同等の意味を持つという。「死」の表現にこそ、人間表現のリアリティを見出していると、ヴァニラ画廊での初個展（2014年）に際しての画廊によるインタビューでも語っている。

川上の作品は、乾漆像だ。日本では7世紀末から8世紀にかけて仏像の制作に使われた手法で、興福寺の阿修羅像などが知られているが、高価な漆を大量に使い制作時間もかかるため、その後廃れていった。だが乾漆は生々しい存在感を出せることが特色で、川上の作品も、その生々しさと、乾漆の素材感や色彩を活かしたミイラ化したかのような感触とが相俟って、死んでいるのか生きているのか、生死の狭間で揺れ動く妖しげな存在感を醸している。

川上の作品には、内臓がくり抜かれ、脊髄が露出した作品も散見される。骨を露出させることで死の気配を色濃く漂わせると同時に、内臓という重みのある部分を取り除くことで、軽やかさが演出される。そもそも乾漆像は内側がくり抜かれているために非常に軽いのだという。その分重力から解放され、《Perfect Beauty》のように、高さ1メートル以上もありながら脊髄だけで直立する作品も実現できるのだ。

いままでは棺に寝かされた作品などもあったが、今回の個展では、《Perfect Beauty》を中心に据えて、すべての作品が直立したり縦に置かれていた。今回の個展では「死と生の繰り返しが生む永遠の美を表現してみた」というが、死から立ち上がり次なる生を目指す思いが、直立という形態に込められていたのかもしれない。「死」の表現でありながらも、未来への視線も感じられた個展だった。　（沙月樹京）

※川上勉展「Death make it Eternal 死／永遠」は、2021年6月29日〜7月11日に、東京・銀座のヴァニラ画廊にて開催された。

★《羽化》2020年、34.8× 15.0cm、漆に油彩

★《街灯ポールダンス》2021年、35.0×34.5cm、漆に油彩

★《月夜の散歩》2020年、34.9×18.4cm、漆に油彩

★《いてちょう/凍蝶》2021年、35.0×34.5cm、漆に油彩

TAKAMATSU Junichiro

高松　潤一郎

◉文＝志賀信夫

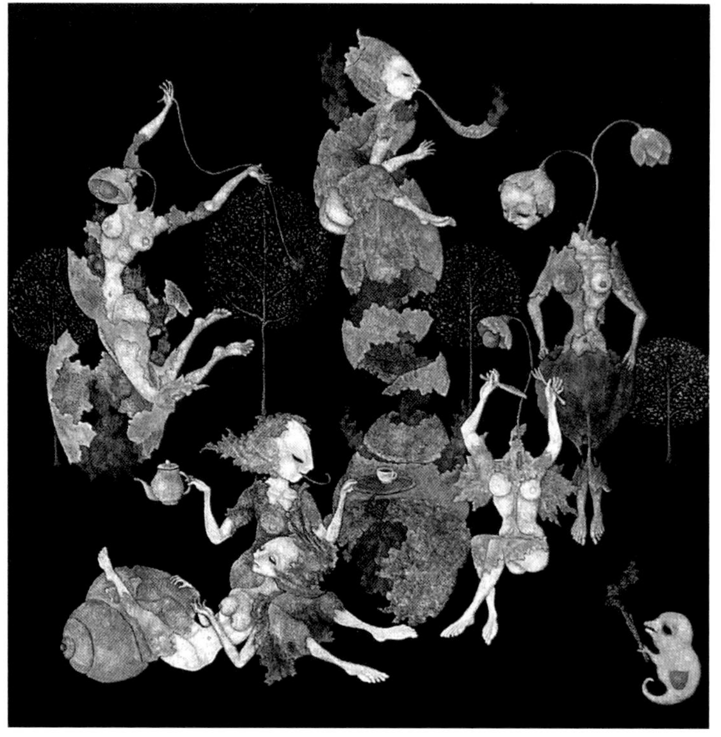

★《火幻II》2021年、35.0×34.5cm、漆に油彩

★《登ってくる月をご覧II》2021年、35.0×34.5cm、漆に油彩

★《夜の占い師》2020年、35.0×34.5cm、漆に油彩

★《夜の銀狐》2020年、35.0×34.5cm、漆に油彩

虚空を思わせる黒い漆の上に、
少量の絵の具をつけた細い貂の筆で描く

★《日々の泡》2019年、43.4×38.0cm、キャンバスに油彩

★《種子たち》2019年、53.0×45.5cm、キャンバスに油彩

★《ランプ・コレクター II》2016年、52.7×45.3cm、キャンバスに油彩

★《水盤の月を釣る》2018年、73.0×50.2cm、キャンバスに油彩

★（左上）《月の粉》2011年、60.6×50.0cm、キャンバスに油彩
（右上）《蛍籠》2013年、60.6×50.0cm、キャンバスに油彩
（右下）《キャバレー》2016年、40.0×35.0 cm、キャンバスに油彩

人類に共通する無意識という宇宙を探求し、生み出された幻想絵画

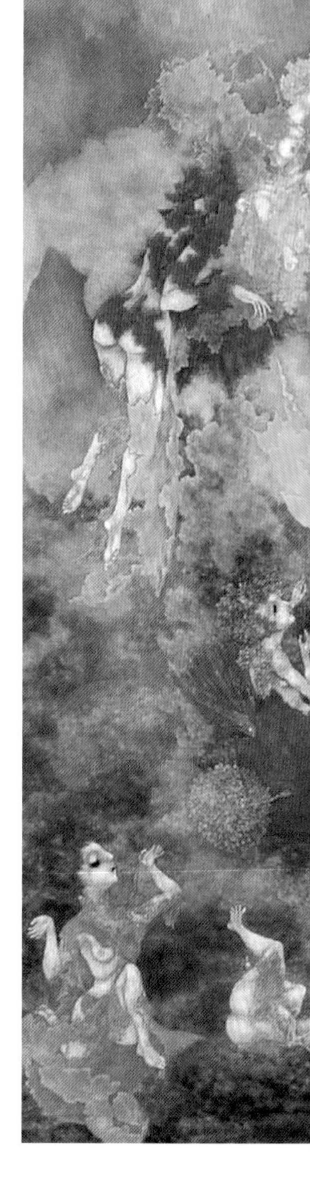

★《道草は天使の時間》2010年、72.5×49.6cm、キャンバスに油彩

高松潤一郎の作品は、銀座の青木画廊でたびたび目にしていた。六〇年代から活躍する画家で、二〇〇七年の「澁澤龍彦・幻想美術館」展でも、展示されていた。彼の幻想的な作風は少しずつ変化し、登場人物は、個性的な形を獲得している。そして現在は、漆の上に描く作品が多い。それはかなり珍しいだろう。漆の持つ艶にその絵がのると、独特の光芒を放つ。幻想的だが、どこか懐かしさの漂う高松の作品たち。その制作の秘密をたずねてみた。

数学に見切りをつけ、美術へ

高松潤一郎は、子どものころ、北海道の原始林を駆け回っていて、美術はおろか、学校の成績は最低だった。ただ、戦後すぐのほとんど色彩に乏しい環境で、ある生徒が生み出した色彩の組合せの美しさと、如拙の『瓢鮎図』（十五世紀）に驚愕した記憶があるという。

そして、立教大学では数学を専攻したが、論理的な頭脳を持っていなければ、数学は無理な学問だと、大学に入ってから知った。問題も答えの出し方は一つではなかった。後に数学の教授になった友人が、ほとんどの問題をグラフで解くのに驚いた。高松も、解けない問題を考え抜いて眠りにつき、翌日眼が覚めたとき解答方法を見つけたことがしばしばあった。だが、基本的に自分は感性の人間で、厳密に考えるのには向いていないと自覚していた。それで、数学に見切りをつけて、美術クラブで遊んでいたそうだ。

一九五四（昭和二九）年当時、中学一年生で、北海道から東京に行くのは、いまだとパリに移住するくらいの感覚だった。喫茶店に入っただけで、不良といわれた時代で、両親はそれを恐れて、誕生日に油絵具をプレゼントしてくれた。それが絵を描くきっかけだったという。

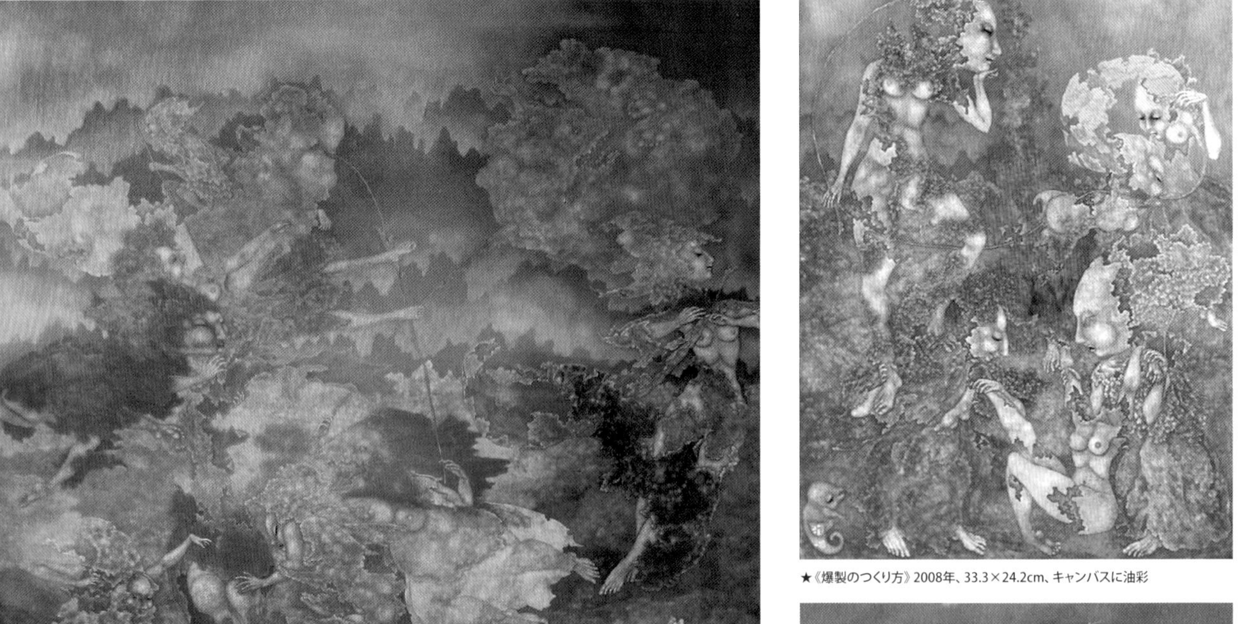

★《私の人魚はよい人魚》2008年、73.0×50.2cm、キャンバスに油彩

★《爆製のつくり方》2008年、33.3×24.2cm、キャンバスに油彩

★《赤いニワトリ》1980年、72.8×53.0cm、キャンバスに油彩

彼は、修正のききにくい水彩は苦手で、拭き取ればいくらでも描き直せる油彩が合っていた。中学の美術の成績も相変わらずひどかったが、美術の先生とはとても相性がよかった。成績があまりにもよくなかったので、親が東大生の家庭教師をつけてくれた。理工学部だったが、美術がとても好きな人で、その妹は、高松が通った豊島高校の美術部のキャプテンから東京芸大に入った。

高松は高校で、最初に入った柔道部を虫垂炎で退部して、美術部に入った。すると、勝手に独学で描いていたのだが、美術の評価が最高点になった。そのころ図書館で、ある美術の本にサルバドール・ダリの『スペイン内戦の予感』(茹でた隠元豆のある柔らかい構造、一九三六年)を見つけた。彼が心を震わせたのは、これが二つ目。その後、アントニオ・ガウディとヒエロニスム・ボッシュの作品に決定的な方向を与えられたと語る。

煙草の灰を絵の下地に

高松の絵の技法は、立教大学のサパンヌ美術クラブで、部員の作品を見たり、自分で実験したり、技法の本を読んだりして試行錯誤して得たものだ。あるとき煙草の灰と、シルバー・ホワイトを練った下地を試したところ、実に堅牢で描きやすかったので、それ以来現在でも使用している。いまは禁煙しているが、肺がんにならないのが不思議なくらい吸っていた灰が、いまでも大量に残っているのだ。この煙草の灰というのが面白い。ルネサンス期は石膏を下地にし、また油絵でもジェッソが使われるようになっているが、灰を混ぜると、質感も変わるだろう。

なお、サパンヌ(Sapin-nu)とはフランス語で「若い樅の木」という意味で、一九二〇年頃設立された総合芸術サークル「セントポール美術倶楽部」を前身に、一九五九年一一月に美術部門が独立して「サパンヌ美術クラブ」となった。現在も続いているというから、半世紀以上、前身からすれば一〇〇年続く、大学の美術クラブということになる。一一月には百周年記念展が予定されている。

貂の毛と漆の力

幻想絵画は細密描写を求められるので、高松は、貂の毛の最も細い筆を使用し、六〇年近く、キャンバスに点描で描いている。筆先に信じられないくらい少量の絵の具を乗せられるか、色の組合せ、下に置いた色の上にどの色をのせると映えるのか、これらの経験の蓄積が技法で、技法は修練だと考えている。ダンサーは、練習を一日休むと自分でわかり、二日休むと仲間、三日休むと一般の人がわかるというが、絵も、そういった世界だと高松は語る。

彼は、初期は普通に筆で擦って塗っていたが、細密描写になってからは、筆先に少量の絵の具をつけ、画面に叩き、ひき伸ばしていく。絵の具を置く順番を変えるだけで、効果がまるで違ってくるという。

では、現在、漆の上に描いているのはどうしてだろうか。

実は、材料になる漆塗りの盆や椀が、彼の妻の実家の蔵から大量に出てきて、それを譲り受けたのがきっかけだった。縁が欠けた椀の蓋に、試しに油絵具をのせると、驚くほど活着がよかった。ただ、漆は乾燥や日光に弱く、温度で油彩と収縮率が異なると、ひび割れが起きないかが心配だったが、杞憂に終わりそうだという。

そして、ひび割れや剥落を起こさずに、一〇〇年以上美しく残っている漆の盆ほど、素晴らしい下地はこの世にないと、高松は考えており、虚空を思わせる深い黒、筆を痛めにくい滑らかさなどに魅了され

★《トネリコの樹に掛けた羽》2010年、60.5×45.5cm、キャンバスに油彩

ているのだ。

幻想絵画への思い

彼は、幻想絵画について、次のように考えている。

「最近は幻想的な画家がとても多いが、日本では侘び寂びの美意識があるので、それと対極に位置する幻想的な絵は多くはなかった。病草子や地獄絵、寒山拾得のような南画・禅画なども、日本では異端とされてきた。だれでも幻想絵画風には描けるが、その体質を持っていなければならない。必然性がなければ本物ではない。それは、無意識から作品を引き出せるかどうかだ」

そして、さらにこう語る。

「音楽でいえば、世界にたくさんある素晴らしい曲は、個人の力ではなく、ある運命を持った人たちによって、宇宙の真実を発見できただけだ。

そのため、真の美術家は、個性を求めて制作するのではなく、無意識という、人類に共通する宇宙から発見し収集する。そこから、できるだけ多くの人に共鳴してもらえる絵を見つけ出せることを望んでいる」

美大に学ばず、大学の美術クラブをベースに六〇年以上描き続けている高松潤一郎。その言葉には、重さと深さ、そして芸術への愛情がある。

青木画廊と由良君美

高松は、冒頭に書いたように、銀座の青木画廊をメインの発表場所にしている。ここには、澁澤龍彦も関り、四谷シモンを始め、多くの幻想、異端、前衛の美術家が集ってきた。高松も、澁澤、瀧口修造、種村季弘、坂崎乙郎、巖谷國士、渋沢孝輔などと出会ってはいるが、人付き合いが得意ではなかった。ただ一人例外が、妙に気が合った

★《夜の散歩VII》2015年、19.8×22.2cm、紫檀に油彩

★《天使の創り方》1997年、34.5×34.5cm、漆に油彩

★《たんぽぽ》1976年、65.2×50.0cm、キャンバスに油彩

由良君美だったという。

由良君美（一九二九〜九〇年）は、コルリッジなどを専門とする英文学者である。父、哲次はエルンスト・カッシラーに学んだ哲学者で、膨大な美術のコレクションを寄贈したことでも知られる。作家・横光利一と交流があり、『旅愁』のモデルだ。

由良は、一九七〇年代、ゴシックロマンス、幻想文学、ロマン主義文学などを数多く紹介し、翻訳者としても知られる。『椿説泰西浪曼派文学談義』（一九七二年）、『みみずく偏書記』（一九八三年）、『言語文化のフロンティア』（一九七五年）などの著書や、雑誌『ユリイカ』『牧神』の文章などに、筆者も魅了された。当時は、澁澤がフランス、種村がドイツ、由良が英国という時代だった。学習院大学卒業だが、東京大学教授となり、四方田犬彦、高山宏などを教えた。

高松は、由良の家をよく訪れた。美術の話はほとんどなく、食べ物の話ばかりで、高級岩海苔をもっていくと、「最も美味しい食べ方は、岩海苔を舌の上に乗せ、白ワインを口に含み、眼を閉じて口中を転がすのがいい」といわれ、そのとおりやってみて、「食通は本当に恐ろしい！」と思った。そして、由良は奇人だと思うが、特異な才能の持ち主だったと語る。

余談だが、筆者の母は、由良君美と交流があった。学生のころ、彼の文章をよく読んでいたら、家の電話帳に名前があったので、たずねた。そうしたら、小学校時代の同級生で、その後もつきあいがあって、女学生時代には、翻訳したタゴールの詩を贈られたことがあったという。そんなこともあって、彼の父、哲次の美術品寄贈の報道などのときに、たびたび話題になった。残念ながら、筆者は会う機会はなかったが、東大にいた友人などから、話を聞いたこともあった。

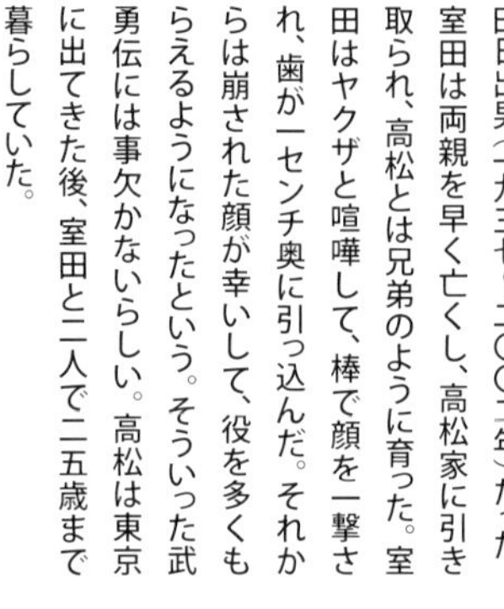

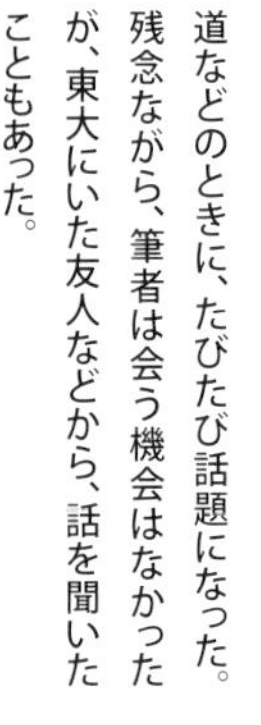

叔父、室田日出男

また、意外だが、高松の叔父は俳優の室田日出男（一九三七〜二〇〇二年）だった。室田は両親を早く亡くし、高松家に引き取られ、高松とは兄弟のように育った。室田はヤクザと喧嘩して、棒で顔を一撃され、歯が一センチ奥に引っ込んだ。それからは崩された顔が幸いして、役を多くもらえるようになったという。そういった武勇伝には事欠かないらしい。高松は東京に出てきた後、室田と二人で二五歳まで暮らしていた。

高松、室田がともに独身のころ、売れ

★《夜風と風鈴》1995年、30.0×30.0cm、漆盆に油彩

★《死出の舟》制作年不詳、100.0×80.3cm、キャンバスに油彩

ない俳優の「ピラニア軍団」の前身である「青の会」に混じって、よく貧乏旅行をした。それについて、高松は、ウェブで公開している日記に書いている。

　映画俳優というと、みんなすぐにスターを想い浮かべるが、実際はあまり有名でない人がほとんどなのだ。室田日出男という僕の母の弟が俳優業だったので、一八歳から二五歳くらいにかけて、若く無名の俳優たちと、もちろん僕の叔父もだが、遊びの行動をともにさせてもらっていた。彼らは、知られていないにしては、驚くほどあちこちに顔がきく。

　みんな貧乏なので、ホテルなどに泊まれない。どうするかというと、知り合いの庭先を借り、テントを張るのだ。二〇人近くが大テントに雑魚寝するのは壮観だった。夕食は市場で安く仕入れてきた魚貝類で、信じられないくらい美味しい料理を作る。彼らは日本中の名物料理を知っていて、驚くことに、それを再現することができるのだ。

　酒が入ってくると隠し芸が始まる。俳優たちだから面白いこと！ こんなに上手なのに普段は小さな役しかもらえない。「僕が監督ならみんなを使ってあげるの」に、と思ったものだ。仲間しか観ていないのに、拍手喝采を受けたときのうれしそうな顔。彼らは心から演じることが好きなのだ。

　僕の叔父が亡くなり、彼らとの接点が薄くなってしまったが、そのときの顔、顔、顔がいまでも眼に浮ぶ。

　室田日出男は、悪役として一世を風靡した。『仁義なき戦い』などのヤクザ映画で活躍し、バイプレイヤーとして、川谷拓三、志賀勝らと「ピラニア軍団」を結成した。また、『前略おふくろ様』など、数多くのテレビドラマにもひんぱんに登場し、『影武者』『野獣死すべし』などにも出演した。顔を見れば、「ああ、あの」とだれしも思うだろう。

自然なエロティシズム

　ところで、高松の作品からは、エロティシズムがそこはかとなく立ちのぼる。彼は、それについてどう考えているのだろうか。

　高松は、裸の女性をよく描くが、巖谷國士曰く、彼の女性は「オブジェ」だそうだ。そして、エロティシズムについて、高松は、作家、ノーマン・メイラーのいうように、「生きていることを実感させる大切なもの」で、人間の「魂」と双子の兄弟姉妹と考えている。また、彼が女性を描くのは、ハイヒールにエロスを感じるのではなく、おっぱいと腰のくびれと、お尻が大好きだからだと、率直に述べた。

　彼のエロティシズムは、暗くない。闇、カオスを感じる人もいるかもしれないが、それはあまり強くはない。むしろ、性愛を素朴に感じとった、自然なエロティシズムのように思うのだ。また、それが黒い漆の上に描かれると、どこか、インドネシアのワヤンの人物たちのようにも見える。そういったアジア的な匂いも漂ってくる。

一二〇歳まで制作し続けたい

　高松が影響を受けたのは、ヒエロニムス・ボッシュ、エーリッヒ・ブラウアー、レメディオス・バロ、アントニオ・ガウディ、ヘルマン・ヘッセ、ゲーテ、ガストン・バシュラール、エーリッヒ・フロム、澁澤龍彦、泉鏡花、赤江瀑、渋沢孝輔、ロイ・ブキャナン、ジャニス・ジョプリン、トム・ウエイツ、さらに、人形作家の三浦悦子と清水真理の名前をあげた。

　高松は、一九四一年生まれの八〇歳。コロナもあって、明日死んでもおかしくない年齢だが、戦争は困ると明言する。また、彼がロック好きというのも意外だったが、自らパソコンも駆使し、メールなども自在だ。それは、かつて数学を専攻した理系の血もあるのかもしれない。

　そして、二〇二一年は、一〇月、青木画廊で「精筆の画家展」、一二月、池袋芸術劇場で「立教サパンヌ美術クラブ展」、二〇二二年二月にドラード・ギャラリーで「蝶展」などと続く。一二〇歳まで生きて、あと五回くらいの個展と、多数のグループ展をやりたいとささやかに願い、最後の最後まで制作していきたい、と結んだ。

（志賀信夫）

●文＝沙月樹京

TANAKA Nagare

田中 流（写真）

人形：En

★En《Brooke（ブルック）》2019年
（左頁）En《Eleanor（エレノア）》2021年

写真による、さまざまにうつろう人形の表情のコレクション

★En《翠緑のプリンセス》2019年

★En《額の中の女性》2017年

★En《Abbey（アビー）》2019年

★En《Poppy（ポピー）》2021年

★En《Rachel（レイチェル）》2017年

★En《meow meow》2018年

★（左頁）En《アリーヤとワイアット》2019年

Dream
HARVEST

★千代田梓《死んで花実がなるものか》2021年
（左頁）千代田梓《シャーリー》2020年

★千代田梓《マチルダ》2020年（左頁も）

★千代田梓《アリス》2020年

★（左上）千代田梓《死んで花実がなるものか》2021年
（左下）千代田梓《マグノリア》2021年

★森下ことり《アナベル》2021年

★清水真理《春の祭典》2019年

★FREAKS CIRCUS《嚥下》2016年

★月《雪月花》2020年

★蕾《本当の顔》2020年

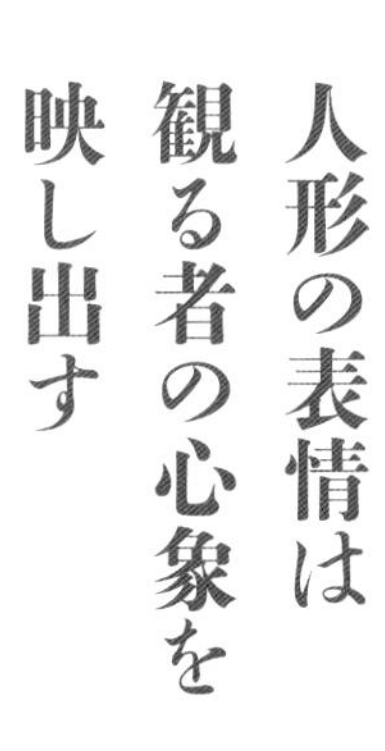

★垂狐《Alice》2019年

★櫻井紅子《聖少女》2021年

★土谷寛枇《La copertina》2020年

★「Dolls in labyrinth——田中流・人形写真館」
好評発売中! A5判・並製・112頁・税別1636円
発行・アトリエサード／発売・書苑新社
収録人形作家／En、櫻井紅子、清水真理、垂狐、千代田梓、月、土谷寛枇、蕾、泥方陽菜、FREAKS CIRCUS、森下ことり、ようし
横浜人形の家でも販売。10月3日(日)には会場にて田中流サイン会あり!

★「人形写真家・田中流の眼差し」
2021年9月11日(土)～10月31日(日) 9:30～17:00
月曜休※9月20日(月・祝)は開館、翌火曜休
※期間中、ワークショップ・サイン会あり。詳細は横浜人形の家HPへ。
観覧料／大人〈高校生以上〉600円、子ども〈小中学生〉300円
※入館料(大人400円、子ども200円)含む、未就学児は無料
場所／横浜「元町・中華街」駅最寄り 横浜人形の家2階多目的室
Tel.045-671-9361 https://www.doll-museum.jp/

※本写真展は著作権保護／作品保護の理由から展示室内での写真撮影を禁止させていただきます。※諸事情により掲載の人形作品が展示されない／別の作品が展示される場合もございます。

★ようし《雨音-AMANE-》2020年

★泥方陽菜《lu-qu》2020年

四半世紀にわたって、若手からベテランまで数多くの人形作家の作品を撮り続けている写真家・田中流が、いま、横浜人形の家で大規模な個展を開催している。田中が人形写真を撮るきっかけとなった清水真理を始め、12人の人形作家の作品の写真を展示し、合わせてそれぞれの作家の人形も飾られている。展覧会に合わせて写真集も発売された。

さて、ここでちょっと穿ったことを綴ってみようか。

人形という存在は、実にさまざまな表情を見せる。顔に限らず、ポーズが変えられる球体関節人形ならなおさら、身体の表情も含め多彩だ。光や見る視線の角度はもちろん、見る側のその時の気分、心象でもその表情は異なってくるだろう。写真は、その一端を切り取ることになるのだが、ひとつの人形からさまざまな表情が切り取られ、同じ作家であっても人形ごとに異なる表情があり、さらに作家が違えばそれだけのヴァリエーションが生まれてくる。田中が撮り続けている写真は、そうした膨大な表情のコレクションとなる。

しかもそれが、見る側の心象のあり方を代弁しているものだとするなら、そのコレクションは、その時その時で変化し続けるわれわれの心の内面そのものなのではないか。人形は、まさに蕾の作品《本当の顔》のように、対面するわれわれ自身をその表情に映す鏡でもあるのだ——。

だからある意味、今回の田中の個展を見ることは、あなた自身の内面の迷宮を彷徨うことに等しいかもしれない。なぜその人形に惹かれたか、その時の心の動きにじっと耳を澄ませてみるのもひとつの鑑賞法だろう。

(沙月樹京)

※ここに掲載した人形写真のうち、En、千代田梓、蕾の人形の写真は、「Dolls in labyrinth——田中流・人形写真館」掲載写真のアザーカット。
その他の写真は同写真集から(トリミングは異なります)。

●文＝沙月樹京

★《光よどうか消えないで》2021年、220×273mm、岩絵具ほか / 紙

OYAMA Nanako

大山　菜々子

★《夜更かし》2019年、273×220mm、岩絵具ほか / 紙

★《斜陽》2021年、273×220mm、岩絵具ほか / 紙

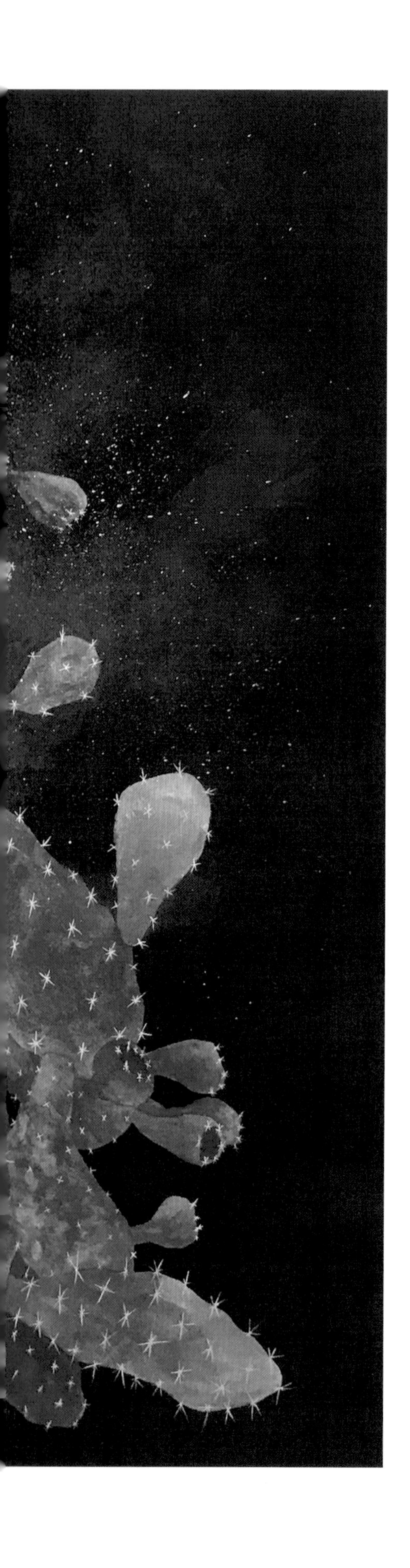

少年の、別れを宿命付けられた
「曖昧な美しさ」

★《星を喰らう夢を見た》2021年、1167×910mm、岩絵具ほか / 紙

★《夢の行き先》2020年、530×455mm、岩絵具ほか / 紙

★《燦》2021年、220×273mm、岩絵具ほか / 紙

★《相反する白》2021年、180×180mm、岩絵具ほか / 紙

★《バタフライエフェクト》2021年、180×180mm、岩絵具ほか / 紙

★《ジンジャーソーダ》2021年、140×180mm、岩絵具ほか / 紙

★《揺れない炎》2021年、140×180mm、岩絵具ほか / 紙

★《僕たちは世界を変えることができない》2019年、333×242mm、岩絵具ほか / 紙

★《逃げぬが吉》2021年、180×140mm、岩絵具ほか / 紙

少年が青年に変わる瞬間のうつろいを絵に描きとめる

大山菜々子は、美少年を描き続ける。しかも、その少年が青年へと変わっていく瞬間のうつろいの中にその像を捉える。稲垣足穂は「少年の命は夏の一日である」と書いた。ほんの一瞬の、まばゆいばかりのきらめきを放って、少年は青年へと変わっていってしまう。大山はその瞬間を捉えようと、その刹那に揺れ動く「曖昧な美しさ」を描きとめる。

ここに掲載したのはSUNABAギャラリーでの個展の展示作で、日本画材を用いて描かれたものだが、その後8月にデザインフェスタギャラリーで開催したのは、一ヶ月間毎日SNSに投稿し続けたドローイングの展示だった。しかも、とある喫茶店で「キレイな男の子」と出会い、分かれるまでの一ヶ月間の日記がしたためられ、それとともに、さまざまな少年の表情を捉えた作品が並ぶという構成。一ヶ月間という期間の設定は少年の一瞬の美を物語るのに恰好であり、スピーディに瞬間を捉えるドローイングも、その美を描き出すのにふさわしいといえよう。SUNABAでの個展タイトル「星を喰らう夢」というのは、「物事の終わりや死を暗示する」のだそうだ。少年という存在との邂逅には別離が必然ということだろうか。

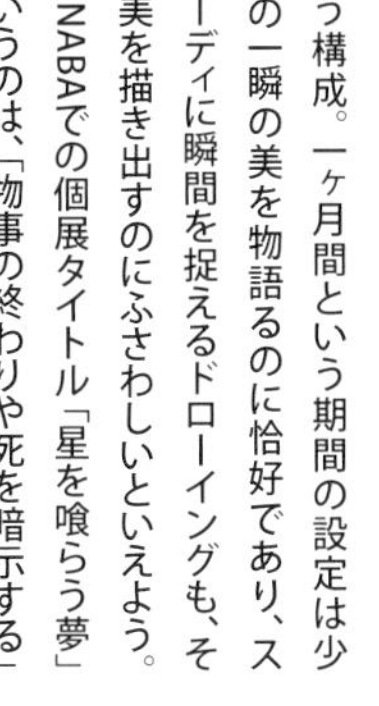

そして、少年にどことなく翳りがまぶされているところも、「美少年」には欠かせない要素だろう。それは日本画作品も例外ではない。その翳りによって醸し出される神秘性と、別れを宿命づけられた儚さが、観る者をますます惹きつける。そしておそらく、その神秘と儚さをつなぎとめ、その存在に触れるために、大山は美少年を描き続けるのだ。

（沙月樹京）

★《遮る》2020年、140×180mm、岩絵具ほか / 紙

※大山菜々子 個展「星を喰らう夢を見た」は、2021年6月26日〜7月7日に、大阪・中崎町のSUNABAギャラリーにて開催された。

◉文＝沙月樹京

★《冬の願い》2021年、273×220mm、アクリル・キャンバス

SHIONO Hitomi

塩野　ひとみ

★《情の華》2021年、530×455mm、アクリル・キャンバス

少女を孤独にさせてくれる
闇という心の迷宮

★《甘露の継承》2021年、606×727mm、アクリル・キャンバス

★《一瞬が永遠に》2021年、318×409mm、アクリル・キャンバス

★《視線》2021年、243×334mm、アクリル・キャンバス

★《目覚め》2021年、334×243mm、アクリル・キャンバス

暗闇の中に閉じこもり、安息の時を過ごす少女

塩野ひとみの描く少女は、暗闇にいる。どこか分からない森の奥深く、一筋の光も差さない暗黒の中で、か弱そうな生き物と、もしくは自分の分身のような存在と、もしくは自分を守ってくれそうな獣と、ともにいる。

少女の周りを取り巻く木の枝や花、布なども、彼女の静かな心の内を表象すると同時に、彼女の身を包み込み、安心を与えるものであるにちがいない。

塩野は言う。「暗闇でこそ見えるものがあり、静寂でこそ聞こえるものがあると思っています」。そこは「自由に孤独で居られる場所」であり、そこで少女は「安息を得ている」のだという。

また暗闇は、自らの心の迷宮のことでもあるのではないか。そこでじっと息を潜めながら、少女は心の声を聞く。そして少しずつ勇気を蓄えながら、目覚めの時を待つのだろう。 （沙月樹京）

◉塩野ひとみ 個展「うつし世はゆめ」
2021年10月14日（木）〜24日（日）
火・水休
13:00〜18:30（最終日〜17:00）
入場無料
場所／東京・曳舟 gallery hydrangea
https://gallery-hydrangea.shopinfo.jp/

●REPORT●

「シン・ニッポン風土記〜原始的創造の深淵」

北沢努・関野栄美・戸田和子・木村龍・小峰恵子・マンタム

●文=沙月樹京／写真=田中流

いにしえを崇敬し
原初の力を形にする

KITAZAWA Tsutomu
北沢 努

★（右頁）《森に棲む2021-2》2021年、H43×W30×D30cm、ブロンズ・鉄板
（左頁上、右から順に）
《森に棲む2021-5》2020年、H32×W10×D10cm、木・ブロンズ・鉄板
《森に棲む2021-4》2020年、H37×W10×D10cm、木・ブロンズ
《森に棲む2021-6》2020年、H47×W15×D10cm、木・ブロンズ
（左頁下）《森に棲む2019-1》2019年、H50×W60×D45cm、木（桜）・石膏着色

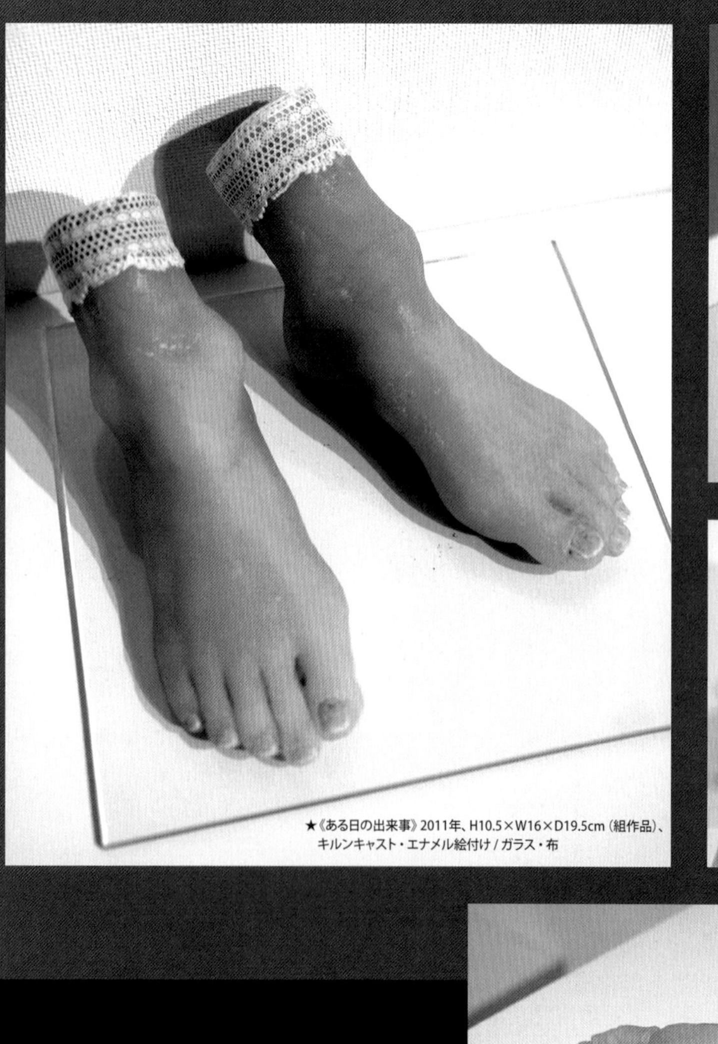

★《ある日の出来事》2011年、H10.5×W16×D19.5cm（組作品）、キルンキャスト・エナメル絵付け / ガラス・布

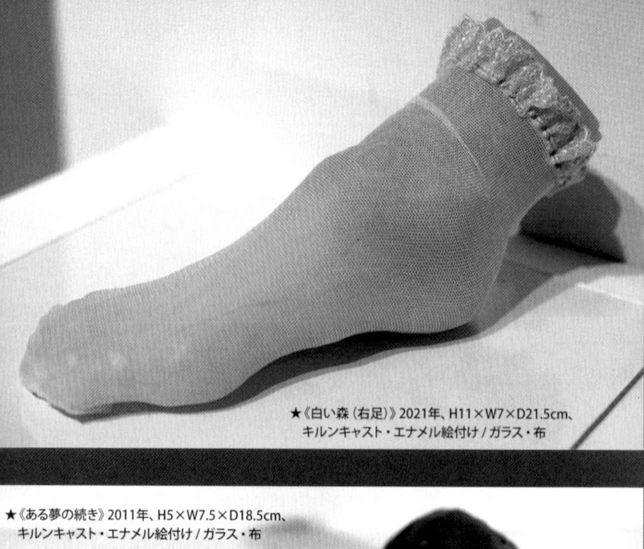

★《白い森（右足）》2021年、H11×W7×D21.5cm、キルンキャスト・エナメル絵付け / ガラス・布

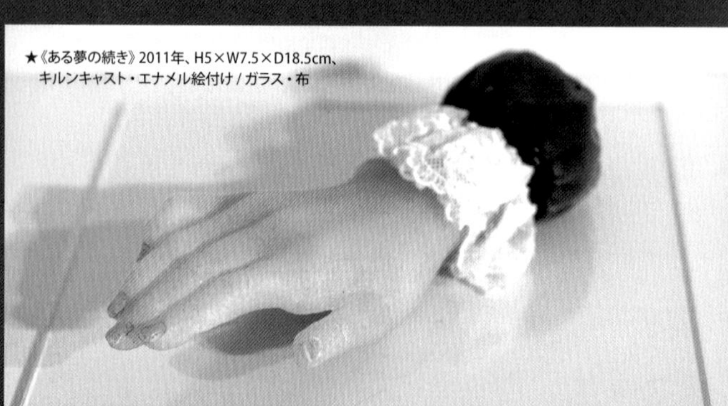

★《ある夢の続き》2011年、H5×W7.5×D18.5cm、キルンキャスト・エナメル絵付け / ガラス・布

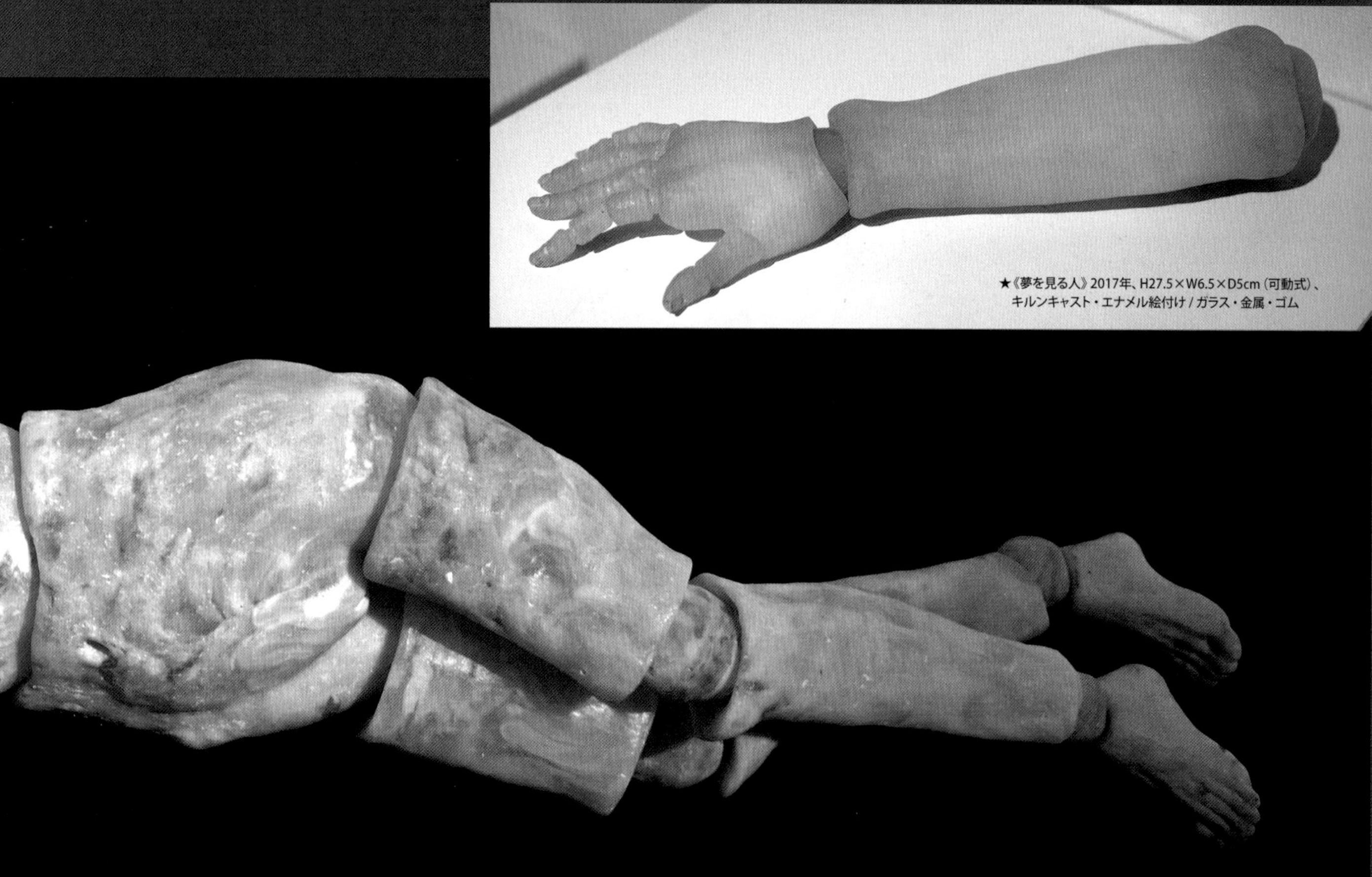

★《夢を見る人》2017年、H27.5×W6.5×D5cm（可動式）、キルンキャスト・エナメル絵付け / ガラス・金属・ゴム

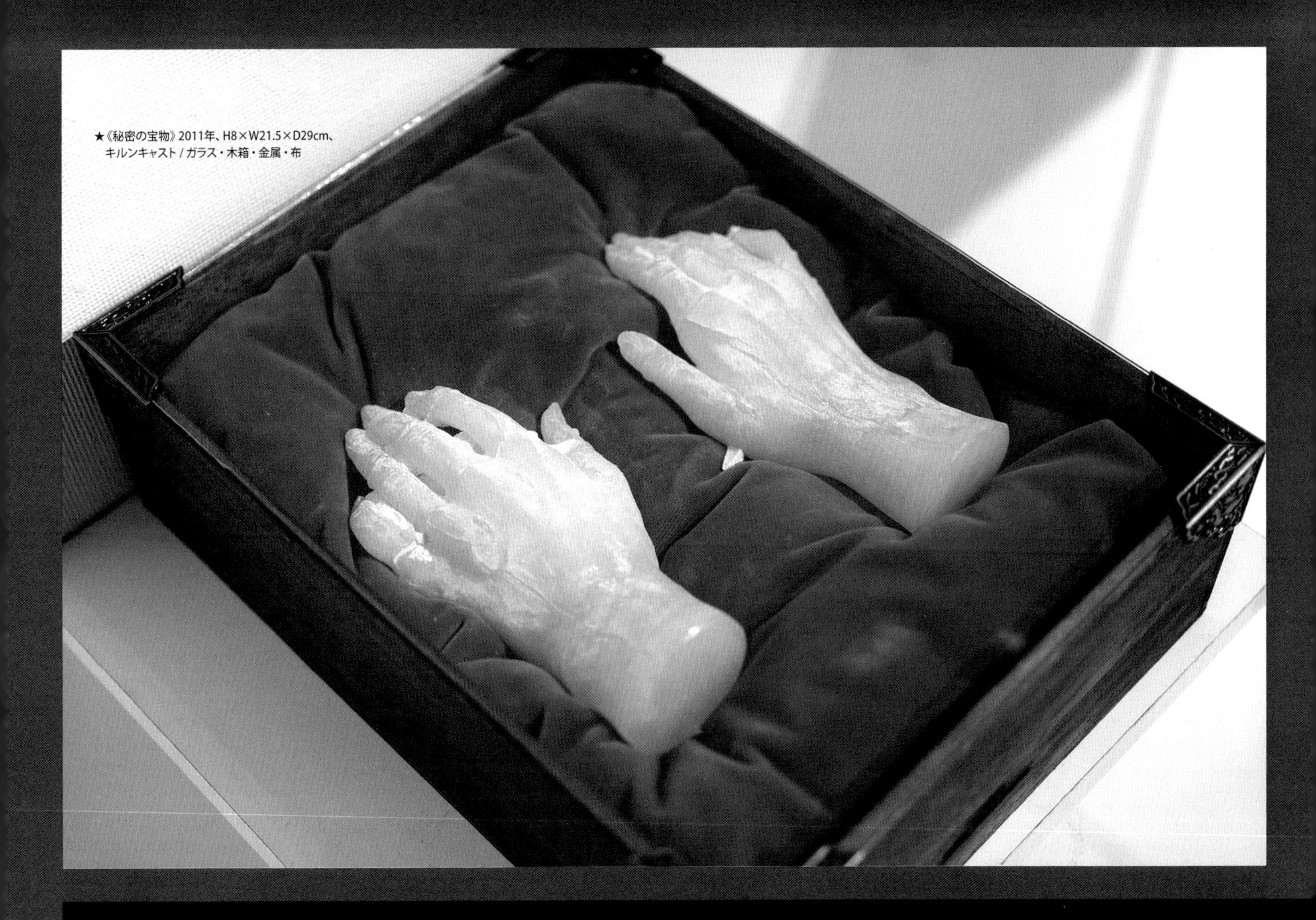

★《秘密の宝物》2011年、H8×W21.5×D29cm、
キルンキャスト / ガラス・木箱・金属・布

SEKINO Emi
関野 栄美

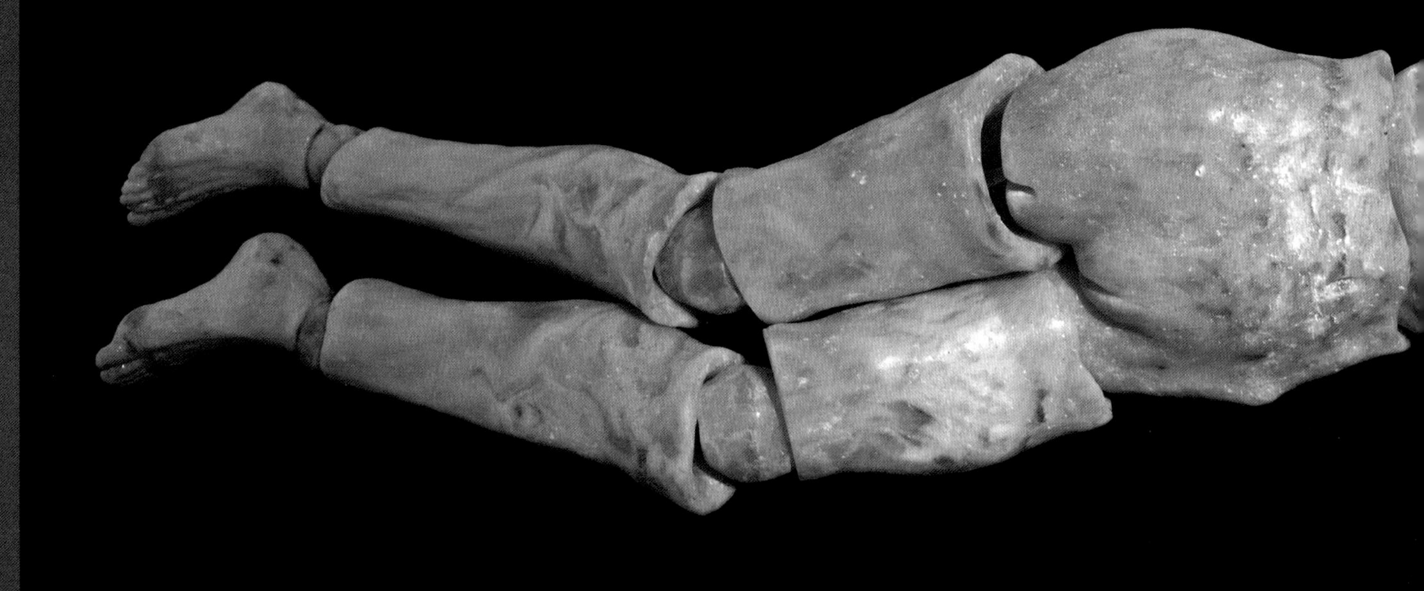

★《秘密の小部屋（習作）》2008年、H10×W96×D15cm、
キルンキャスト / ガラス・ゴム・金属・ワックス

TODA Cazuko
戸田 和子

★《無意識の領域》2020年、H120×W100×D70cm、
Mix-clay・木・金属

◉戸田和子展示情報
「Cazuko Art アトリエ展」
2021年10月5日(火)～11日(月)
10:00～18:30(最終日～15:00)
場所/GALLERY SAZA
茨城県ひたちなか市共栄町8-18
サザコーヒー本店内
Tel.029-274-1151

◉戸田和子の作品がカバー・章扉を飾った
夢見る大人の絵本
「ダン・アダン・デリー～妖精たちの輪舞曲」
好評発売中!
A5判変形・カバー装・224頁・税別2000円
発行・アトリエサード/発売・書苑新社
詳細は、本書ウラ表紙をご覧下さい。

★《愛の彷徨》2011年、
163×65cm、
Mix-clay・金箔・木

★《真実の愛》2011年、
125×65cm、
Mix-clay・金箔・木

★《オンディーヌ》2017年、
H118×W35×D35cm、
Mix-clay・FRP・金属・
モヘア・義眼

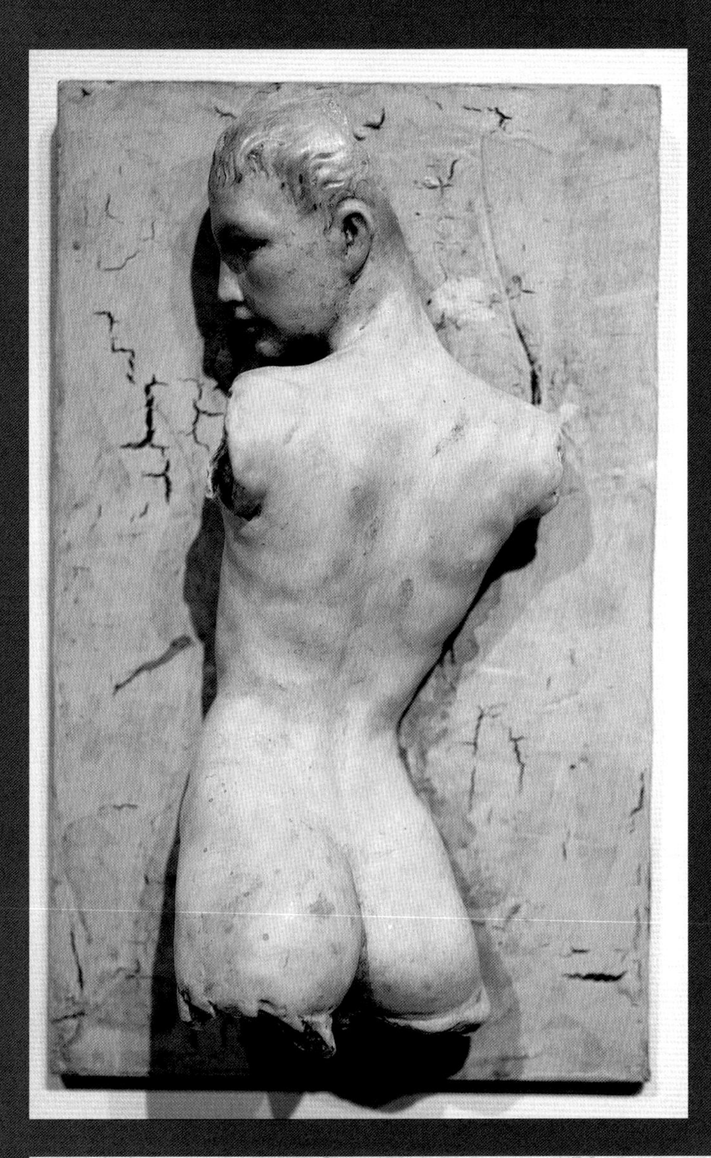

KIMURA Ryu
木村 龍

★（右頁）《カルパッチョ氏はご在宅ですか?》2018年、48×29cm、アクリル・手製額
（左頁上、右から順に）
《片翼の天使》2019年
《誰…?》2019年
（左頁下）《ヴィオロン》2010年、42×52cm、紙にアクリル・手製額・アクリルボード

★《妖精パック》2015年、
直径30×140cm、石粉粘土

★《阿弖流為》2019年、90×40cm、石粉粘土

★《陰陽師・祈り》2020年、65×45cm、石粉粘土

★《大和の風土が生んだ風・卑弥呼》2021年、直径15×60cm、石粉粘土

KOMINE Keiko
小峰 恵子

★《夏の夜の夢 妖精女王ティターニア》
2015年、50×50×120cm、石粉粘土

MANTAMU
マンタム

★《ハルピオン》
2015年、H38×W22×D10cm、ミクストメディア

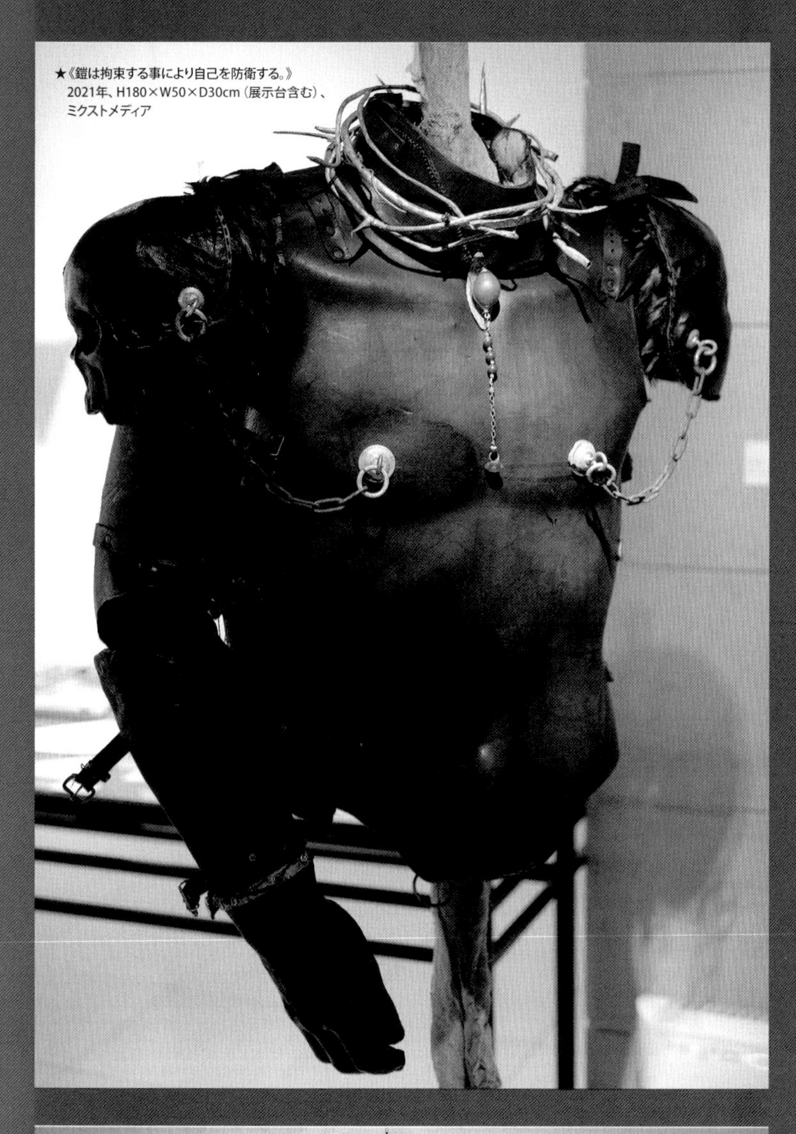
★《鎧は拘束する事により自己を防衛する。》
2021年、H180×W50×D30cm（展示台含む）、
ミクストメディア

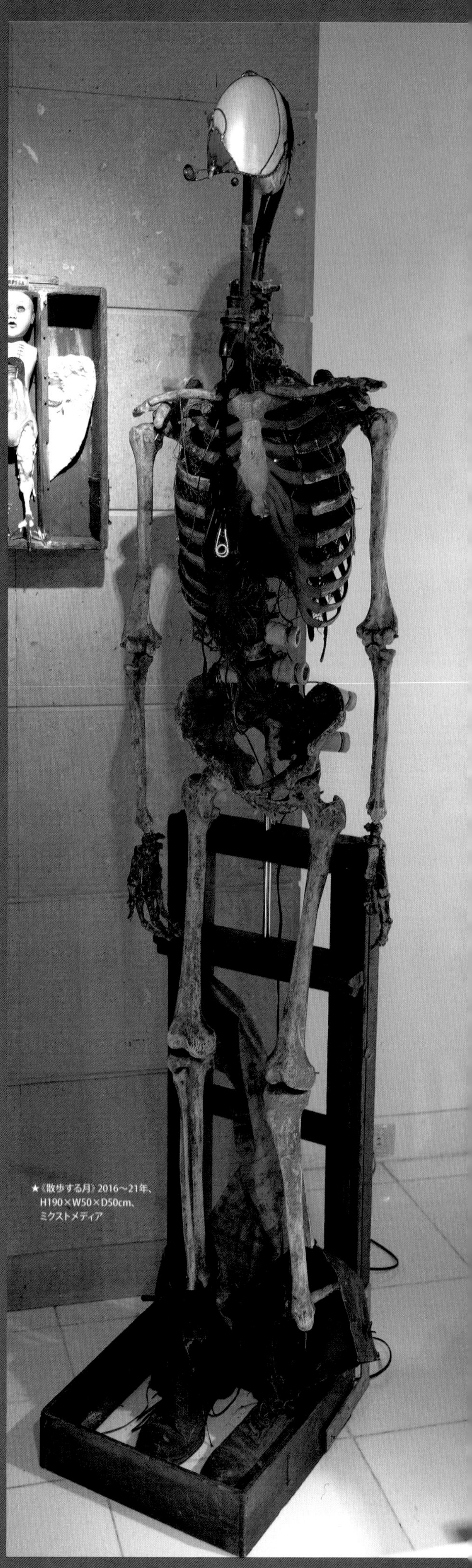
★《散歩する月》2016〜21年、
H190×W50×D50cm、
ミクストメディア

★《蝶を精製する》2016〜21年、
H50×W40×D6cm、
ミクストメディア

日本に生まれ育った者の潜在意識に刻まれた、古代から連綿と受け継がれた遺伝子――それはさまざまな形で、知らず知らずのうちに作品に埋め込まれるものなのかもしれない。そうした遺伝子を積極的に読み取ろうとすること、または古代へのリスペクトのもとにその遺伝子を意識的に組み込んだ作品を照射すること――このグループ展「シン・ニッポン風土記～原始的創造の深淵」は、そのような意図のもとに企画された展示だ。

だがご覧になって分かるように、日本をキーワードにしているからといって、いわゆる「和風」な作品はここにはない。国粋主義的な観点に閉じるのではなく、もっと開かれた世界の中から汲み上げられた原初の力が、さまざまに表象されて並んでいる。「日本」という国の遺伝子ではなく、おそらくあくまでも、たまたま日本に生まれた個人が感受した「古代」を照射しようとしたのではないか。

そして興味深いことに、その展示から浮かび上がって来たのは、異化された身体性であった。

北沢努は、木の枝などの形をそのまま活かした素朴な作品。だが、そこには足がある。ヒトガタになぞらえることで、木が長年にわたって蓄積してきた生命の力がオーラとなって放たれる。そして足は、その力によって、長く束縛されてきた大地から自由になることの表象だろうか。

関野栄美は、ガラスを用い、キルンキャスト（電気炉鋳造）の技法で、主に手や足を制作している作家だ。しかもそれは、球体関節などによる可動な構造だったりする。ガラスならではの素朴な風合いと、不透明でありながらも内部が透けて見えるかのような質感が、ベルメールなど先達の人形作品を参照しながらもあらたなフェティッシュを創出する――レースやタイツもその役割を担っていると言えるだろう。

人形彫刻家・戸田和子は、妖精のような幻想的・神秘的な存在をモチーフにしながらも、心に巣食う闇がにじみ出てきているかのような、重々しさも兼ね備えたヒトガタを生み出している。物語性や世界観の広がりを感じさせるのも、その作品の特質だ。

木村龍は、ここに紹介したのはレリーフ的な作品と絵画作品だが、そこには素朴な、記憶の底から探り出したかのようなノスタルジーが感じられよう。だがそこにあるのは単なる懐古ではなく、記憶が変異し異様な幻想を帯びた光景だ。遺跡から発掘されてきたかのように身体がちぎれたレリーフ作品も、記憶のごく断片を切り取ったかのように見える。

小峰恵子も、物語性のある作品を作り出している人形作家だ。木村龍、戸田和子らと同様キャリアは長く、圧巻の造形を見せる。そのモチーフには異界や闇を彷彿とさせるものが少なくなく、やはりそこには、いにしえから脈々と流れているものへの崇敬と、そのイメージを美を湛えた形として現出させたいという思いが感じられる。

そしてマンタムは、生命の残滓をさまざまな物質と交合させて、思いもよらない姿に生まれ変わらせる美術作家だ。作り上げられたオブジェは、まさに、過去からの遺伝子を現代の闇を通して蘇生させたものだと言え、その呪術的行為は、人や動物など、やがて死にゆくものの存在価値をも問い直す。

過去を、古代から受け継がれてきたものを思うことは、死を思うことに等しい。古代に思いを馳せる「原始的創造」が、異化された身体性の創造につながるのも、死の表象として身体がもっともふさわしいものであるからにちがいない。（沙月樹京）

★マンタム《世界の果ての在るべき夜に私は犬を抱く》
2021年、H15×W35×D10cm、
ミクストメディア

過去を照射することで
生まれる
異化された身体性

※「シン・ニッポン風土記〜原始的創造の深淵」は、2021年5月28日〜6月6日に、東京・渋谷BunkamuraのBox Galleryにて開催された。

●TOPICS●

大島托×ケロッピー前田
「縄文族 JOMON TRIBE」

●文=ケロッピー前田

Jomon Tattoos by Taku Oshima
Photographs by Keroppy Maeda

縄文の文様を身体に彫り、
日本のはじまりを発見する

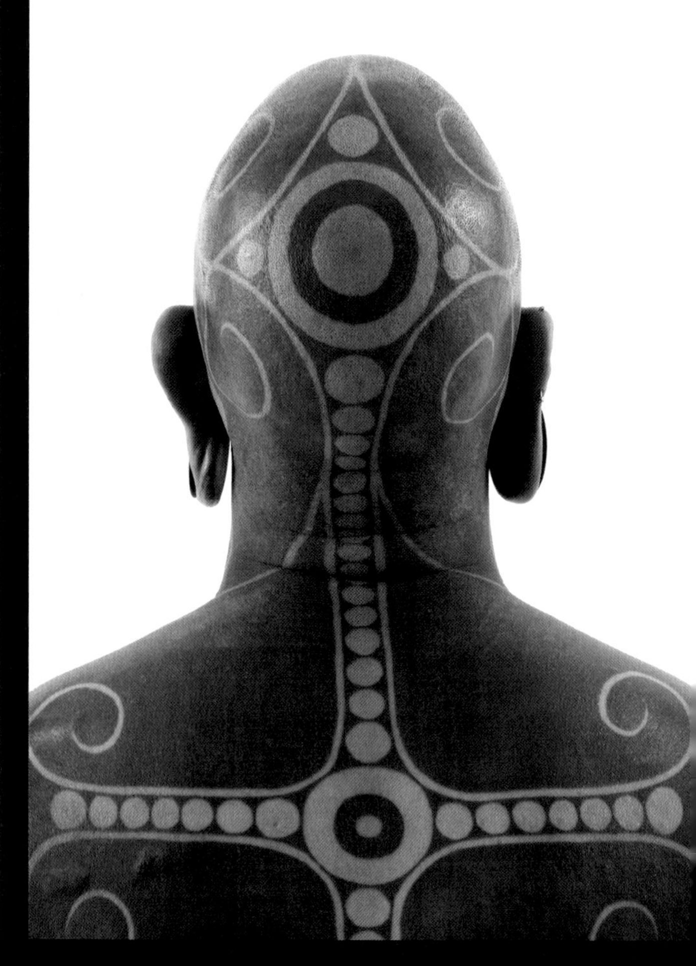

縄文人が施していたであろうタトゥーを現代に復興するプロジェクト

「縄文族 JOMON TRIBE」とは、タトゥーアーティストの大島托と私、ケロッピー前田が推進する、縄文時代のタトゥー復興アートプロジェクトである。その始まりを宣言する第一声は、トーキングヘッズ叢書（TH Seires）No.62（2015年4月）だった。

このプロジェクトの目的は、一言で言えば、「現代人の身体に縄文の文様を彫り込むこと」で、日本の考古学において長年議論されてきた「縄文時代にタトゥーはあったのか」という問いに実践的に答えていこうというものである。大島托との出会いからプロジェクト成立の過程、縄文遺跡の調査や背景となる世界のタトゥー事情については、拙著『縄文時代にタトゥーはあったのか』（国書刊行会、2020年）に詳しい。

ここで重要なことは、考古学者の高山純による『縄文人の入墨』（講談社、1969年）という先行研究があったことである。具体的には、紀元3世紀の『魏志倭人伝』には「黥面文身」という記述があり、当時の倭人がタトゥーまみれであったと書かれていた。さらに、明治時代から考古学者の間で縄文時代の土偶の顔に施された文様はタトゥーではないかという議論があった。高山はポリネシア（太平洋諸島）の民族的なタトゥー研究などの資料を踏まえ、縄文時代にタトゥーはあったと結論づけていた。

TH No.62の記事でも解説しているが、90年代の世界的なタトゥーやピアスの流行のきっかけのひとつとしてよく名前が挙がる書籍に『モダン・プリミティブズ』（リサーチ・パブリケーション、1989年）がある。この本は、タトゥーやピアスばかりか、のちに身体改造と総称されるようになる難易度の高い過激な改造行為までをいち早くまとめ上げたものとして非常に貴重な資料であった。そればかりか、顔面や性器へのピアッシング、切り傷で図柄を描くスカリフィケーション、黒一色のトライバル・タトゥー、さらにポリネシア、ボルネオ、南米に至る民族的タトゥーの系譜まで紹介されていた。私のこれまでの様々な活動も、『モダン・プリミティブズ』に触発されており、そのような身体改造カルチャーを日本でも育てていこうというものだった。

そういう意味で、「縄文族 JOMON TRIBE」は、日本におけるモダン・プリミティブズの実践である。作品展示については、2016年に阿佐ヶ谷TAVギャラリーでデビュー、翌年にはドイツ・フランクフルトで大きな展覧会を行い、19年には再びTAVで個展、20／21年はBEAMSで新作と服飾シリーズを発表している。

日本から発信する新しいカルチャームーブメントとしての「縄文族 JOMON TRIBE」は、日本をタトゥーの根強い偏見から解放し、世界に対しては古代の時代から日本列島には文様タトゥーで全身を飾る人たちがいたであろうことをアピールしている。このプロジェクトが目論む〝革命性〟を作品を通じて感じ取って欲しい。（ケロッピー前田）

◉大島托
タトゥーアーティスト。ブラックワークのスペシャリストとして国際的にも高く評価されている。ポリネシア（タヒチ、ニュージーランドなど）をはじめ、ボルネオのイバン族、カリマンタンのダヤク族、スマトラのメンタワイ族、インドのナガ族など、最も原始的な民族タトゥーを残す地域に実際に赴いてリサーチ、現代的なタトゥーデザインに取り入れて洗練された作品へと昇華させている。

◉ケロッピー前田
1965年東京生まれ、千葉大学工学部卒、白夜書房（コアマガジン）を経てフリーランスに。世界のカウンターカルチャーを現場レポート、若者向けカルチャー誌『ブブカ』『バースト』『タトゥー・バースト』（ともに白夜書房／コアマガジン）などで活躍し、海外の身体改造の最前線を日本に紹介してきた。その活動は、TBS系『クレイジージャーニー』でも紹介されて話題になる。

YAMAMURA Toshio

山村　俊雄

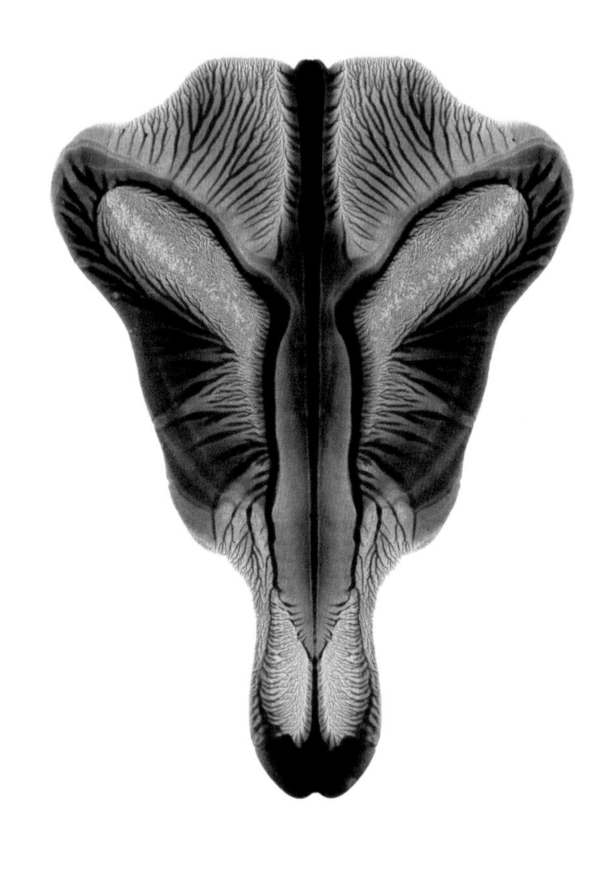

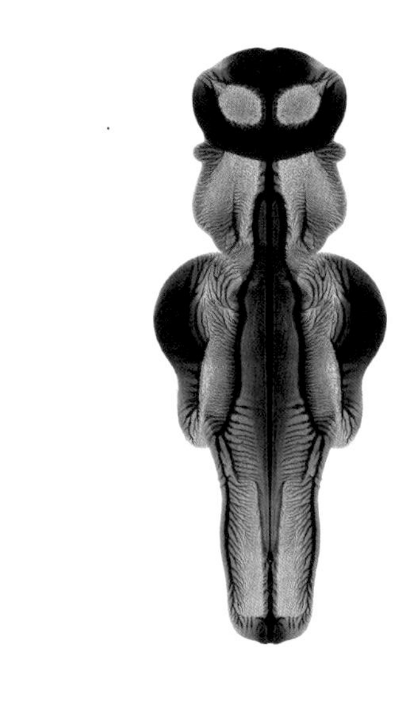

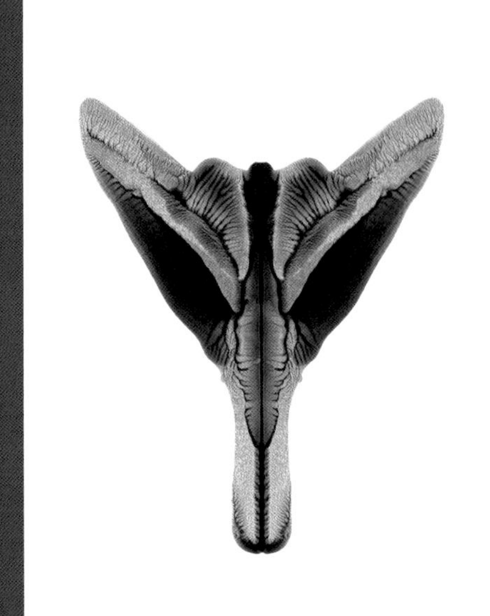

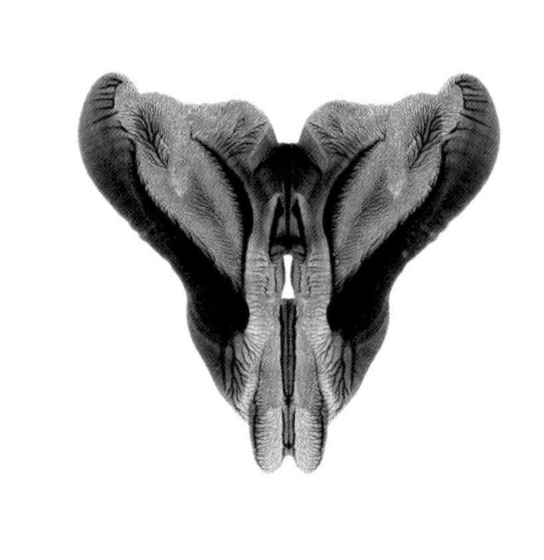

空青く緑鮮やかな富山の山中から新たな狼煙をあげる

前衛芸術グループ九州派の流れを汲み、絵画作品を制作する他、舞台や映画の美術を担当したり、音楽ライブを企画するなど、実に多彩な活動を繰り広げている山村俊雄。近年は栃木県を拠点にしていたが、このたび富山県利賀村に新天地を見出し、新たな活動を始める。山村の絵画には妖怪を描いたものなどもあるが、10月末から開く個展で展示されるのはデカルコマニーによって生み出された静謐な抽象的作品。様々なイメージを観る者の心の中に結晶させる。

会期中はワークショップの他、ベーシスト・不破大輔と舞踏家・若林淳によるライヴもおこなわれる。山深い利賀村上畠の地で何かが生まれる。

（沙月樹京）

★過去の個展でのイベント風景

◉山村俊雄個展「木霊-やまびこ-」
2021年10月28日（木）～11月3日（水）
10:00～16:00
場所／ Studio VOID 富山県南砺市利賀村上畠759

※ワークショップ「刹那・永劫」『山村俊雄(art)』
10/28・29・30 13:00～14:30、参加費1000円
※ライヴ「狼煙」【不破大輔（cb）＋若林淳（Butoh）】
10/30（土）17:00～、10/31（日）15:00～、
料金2000円
※特別出店 レコードショップ "stereotype record"

予約問合せ／Studio VOID 山村（090-4172-1932）

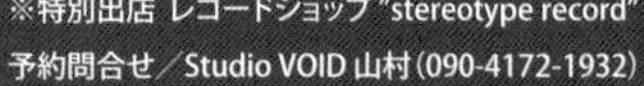

KATSUMATA Hideyuki

かつまた ひでゆき

●文＝志賀信夫

★《リサイタル》2021年、300×300mm、acrylic, ink, pencil on paper

★（左頁）《Do The Right Thing》2020年、210×297mm、acrylic, ink, pencil on paper

BLACK LIVES MATTER
Do the Right Thing

★《柏手》2021年、420×297mm、acrylic, ink, pencil on paper

★《宇宙村》2018年、297×210mm、acrylic, ink on paper

★《天空竜神》2018年、297×420mm、acrylic, ink on paper

絵画の技術の修得は行き当たりばったり。
だからこそ、この〝歪んだ技術〟が身についた

★《天晴》2018年、210×297mm、acrylic, ink on paper

★《怒爆発》2021年、350×350mm、acrylic, ink, spray on craft board

★《波動》2020年、255×310mm、acrylic, ink, spray on craft board

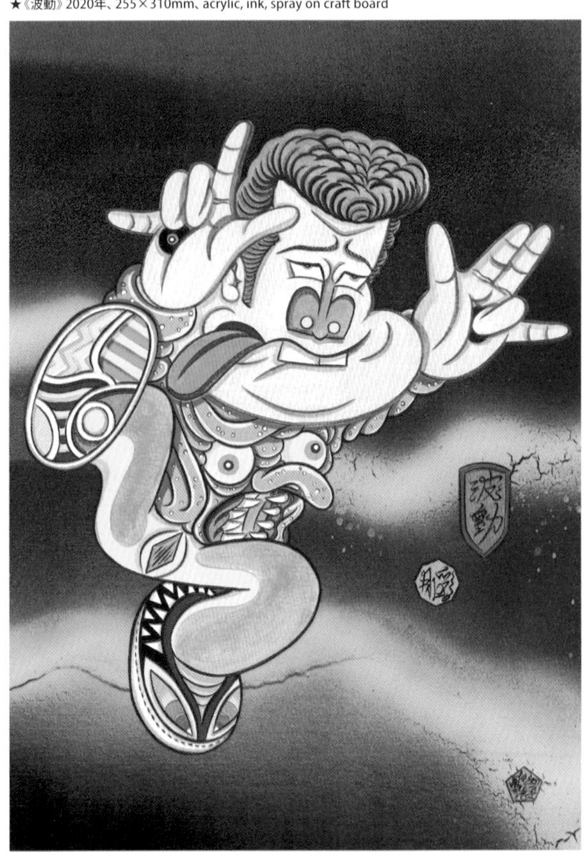

★《亜細亜友好》2018年、210×297mm、acrylic, ink on paper

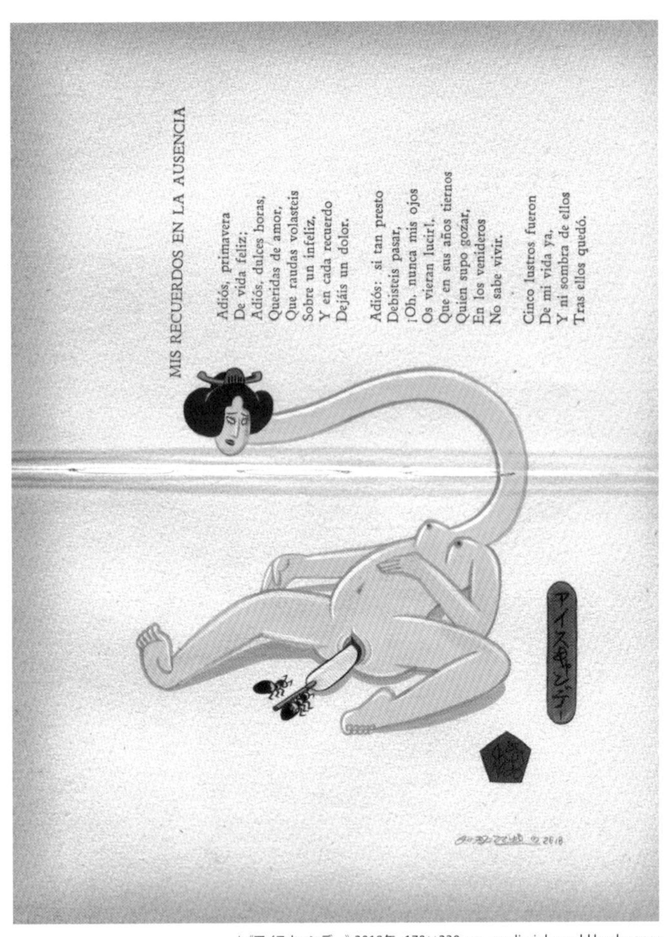

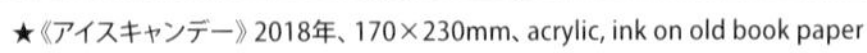

★《アイスキャンデー》2018年、170×230mm、acrylic, ink on old book paper

★《Riot Cherry》2020年、300×400mm、acrylic, ink on wood

★《悶具》2020年、400×400mm、acrylic on canvas

★《闇的楽園》2018年、300×400mm、ink on paper

燃え上がる情熱と不屈の精神を賭けて〝絵描き〟になった

ファッション業界から「絵描きというフーテン」に

かつまたひでゆきは、アヴァンギャルド・ポップな絵で人気の美術家である。マンガに浮世絵の混ざったようなものや、怪奇な雰囲気の漂うキャラクター「ハナウタ（HANAUTAH）」など、独特の絵を描き、国内外で人気が高まっている。海外のロックバンドのレコードジャケットなどにも採用され、海外での個展も好評だ。カツマタ・ヒデユキとカタカナで紹介されていることもある。だが彼は、もともとファッション業界から絵の世界に入ったという異色な経歴の持ち主だ。どんな人物なのだろうか。

かつまたは、幼少期に習っていた習字の先生が絵の好きな人で、教室に行くたびにピカソや写楽の画集を見せてくれた。彼いわく、間違いなくこの先生のセンスが、現在の自分へのターニングポイントだったという。

だが彼は、最初はファッション業界に入った。ほかにもなりたい職業がいくつかあったが、一番好きなことを仕事にすると、それを嫌いになってしまうからやめたほうがいいと、当時、大人たちからいわれて、自分も大人ぶって、それをクールだと受け入れた。だが、単純に、ファッションという「浮かれた」仕事につきたかったからでもある。

そうやって働き始めると、将来のこと、自分の適合性などを考えるようになった。なかでも決定的だったのは、あるブランドのキャリアあるデザイナーと話していて、その人がいう皺が出ない服のパターンとか、生地の伸縮を利用したデザインなど、高卒でチャラく仕事についた自分とは、洋服に対する知識も情熱も別次元で、「この人には一生かけても服ではかなわない」と思った。そして、せめて対等な自信を持とうと、燃え上がる情熱と不屈の精神を賭けられる「絵描きというフーテン」になった。やっとこの選択ができたことが、そのときとてもうれしかったそうだ。

★《道祖》2020年、297×210mm、acrylic, ink, spray on craft board

独学で身につけた「歪んだ絵の技術」と音楽の力

かつまたは高卒なので、専門の美術教育は受けたこともなく、すべて見よう見まね、独学でやってきた。前出のデザイナーが美術大学出身で、服屋を辞めてからも、新しい絵を描くと勝手に見せに行って評価を頼んでいた。彼は何にでもセンスのいい人で、例えば、当時世界的に話題になりつつあった英国の「Sensation 展」（一九九七年）をオンタイムで教えてくれた。そういうこともあって、教科書で見た以外の美術にも自分で率先して調べていくようになった。

絵画の技術をどう学んだかは、行き当たりばったりで、うまく説明ができないが、とにかく描いていた。専門教育を学ばなかったからこそ、その「歪んだ技術」が身についたのかもしれないと笑う。

かつまたは、基本はアクリル絵の具を使っているが、気分転換に画材を変えたりしている。今年、ネットで描き方を調べて、油絵を始めてみたが、実際やってみると、なかなか乾かないし、薬品などの使い方も曖昧で、さっぱりわからなくて放置していた。つまり、トライアンドエラーを怠っていたので、現在、油絵を勉強中だという。

色の配置と量を優先して、絵を描き進める。部分部分を完成させては、次に何を描くか考える。そのためアイデアが何度も変わり、時間が結構かかるが、寝ないことで遅れを減らす。この描き方だと、必要なときにラフ見せができないので、ちゃんとした人には不向きだが、楽しさは最後まで持続するので、職業としては、その技法を得たことがよかったと振り返る。

かつまたは、スウェーデンのリトルドラゴンなど音楽家との仕事も多い。音楽について、どう考えるのか。

音楽は、絵画と同じくらい、もしくはそれ以上に、かつまたの人間形成に大きく影響している。思春期に聴いてきた音楽は、現在も勇気を与え、あの日に立ち返るタイムマシーンのきっかけであったりもする。だから、かつまたは、そういう音楽をずっと心に大切に持っている人は、これからの人生に、何が起きても大丈夫だと思っている。音楽の力は世界を変え得るだろうし、そういう人に憧れて、絵を描いているという。

ハナウタというキャラクター

また、かつまたは、少し怪奇なキャラクターや作品を描いている。それはどうしてで、どういうところから発想しているのだろうか。

かつまたは、元々妖怪の類のファンだった。だが、鳥山石燕（江戸中期）や水木しげるの妖怪を真似るのも違う。元来、向こうの世界は、「八百万の神」というくらいに自由なフィールドなので、まだ見ぬ妖怪を描き増やすことこそ、先人たちへのリスペクトだと感じている。何より、怪奇キャラを考えることは、制作の楽しいモチベーションにもなっているという。

キャラクターの「ハナウタ（HANAUTAH）」は、二〇〇三年ころ、夢の中に、五本の手足を持つ神の怒りの化身として現れた。夜ふけにそのまま目を覚まし、何かしらの使命を感じたのか、それを忘れないようにスケッチをして、またすぐに寝た。

そうやって誕生したという。そして、それからだいぶ変わったが、かれこれこのハナウタとは、いまではもう長いつきあいで、現在のハナウタは、能のワキのような役割を担うそうだ。ストーリーテラーであり、また、ハナウタが主役のときは、落語の「熊さん」、「八っつぁん」のような性格なのだという。

春画とエロティシズム

かつまたの作品には、春画をモチーフにした作品もある。彼にとって、春画は、エロもエゴもユーモアも奇天烈さも含んだ、日本が誇る文化的エンターテインメントのひとつ。世界中の人々が魅了され注目している。しかし、エロという一面を持つだけで、敬遠し蓋をしてしまう大人もおおぜいいる。かつまたは、春画の素晴らしさを知っており、それならば描こうと思った。何かのきっかけで、彼の絵が春画を知らなかっただれかの目に止まり、その人がルーツの春画を知り、そのよさをこっそりと共有できれば、さらに、描いていてよかったと思えるという。

それでは、春画も関連するエロティシズムについては、どう考えるのだろうか。

かつまたは、人々が公言するかどうかは別として、だれもが持つ人間が備えた高等感情だと思っている。エロティシズムの感じ方、嗜好は十人十色。自分なりのエロティシズムを意識し、それをパズルすると、脳のリミッターがひとつ外れるのがわ

★《暴歩彷徨》2020年、400×500mm、acrylic, ink, pencil on paper

かる。アダムとイヴの林檎のように、エロティシズムは罪ではない。人間に与えられた「知の蜜」であり、生殖本能とは違って、理性がセルフコントロールしつつ本能にアクセスする、隠微な興奮だという。かつまた自身は、性器丸出しのTシャツをつくってはいるが、エロティシズムについては、隠されたもの、隠微であるからこその蜜の味だと思うと述べた。

かつまたのエロティシズムに関する考えは興味深い。特に、脳のリミッターがひとつ外れるということ、そして、理性が自制しつつ本能にアクセスするというところだ。体感的にわかる部分と、そして本能と自制というポイントだ。そして、あくまで隠微なものというのも、重要だろう。混沌とした欲望とどう向き合うかというのが、だれでも問われるのだ。

アート界の「どぶろっく」を目指して

かつまたは、ピカソ、写楽、北斎が幼い頃から特別に大好きだ。国芳は比較的大人になってから知ったが、いまでは心の師と仰いでいる。ほかにも、美しさやデザイン性というより心にグッと迫ってくる作品には、だれが描いていようと影響を受けている。そしてやはり漫画家、手塚治虫、藤子不二雄は外せないとする。

また、彼は、美術家以外では、最近は「どぶろっく」にグッと心を掴まれている。たぶんこれからもずっとそうだろうという。「どぶろっく」といえば、『もしかしてだけど』で知られる音楽を生かしたお笑い芸人。さらに故人だが、落語なら「古今亭志ん朝」をよく聴く。この後味を残した余韻は、かつまたの目指したいところだ。そして、今後は、アート界の「どぶろっく」となれるよう、これからも信念を持って諦めず精進したいと思うと結んだ。（志賀信夫）

●文＝沙月樹京

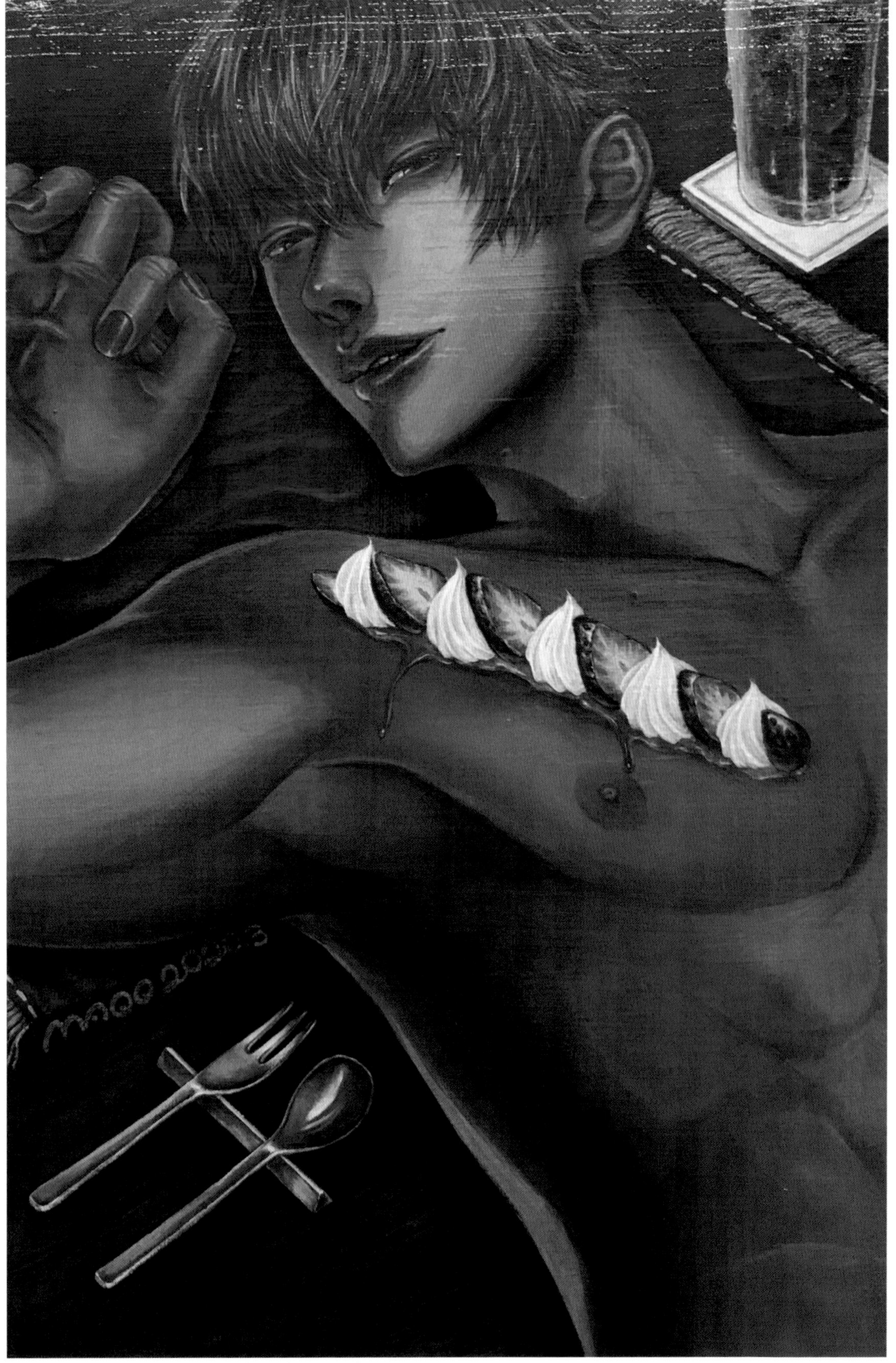

★《デザートの温度》2021年、220×333mm、アクリル絵の具・ジェッソ／キャンバス

Ma marumaru

Ma marumaru

★《夜更けの来客》2021年、410×530mm、アクリル絵の具・ジェッソ / キャンバス

★《あふれる想い》2021年、318×410mm、アクリル絵の具・ジェッソ / キャンバス

★《晩餐への招待》2020年、410×530mm、アクリル絵の具・ジェッソ / キャンバス

★《毒見》2021年、410×410mm、アクリル絵の具・ジェッソ / キャンバス

描かれる男女は
淫らでありながら、
俗な性的関係に陥らない

★《永遠の》2019年・2021年加筆、530×727mm、アクリル絵の具・ジェッソ / キャンバス

★《Escape:LUNA》2021年、455×158mm、アクリル絵の具・ジェッソ / キャンバス

★《Escape:SOL》2021年、455×158mm、アクリル絵の具・ジェッソ / キャンバス

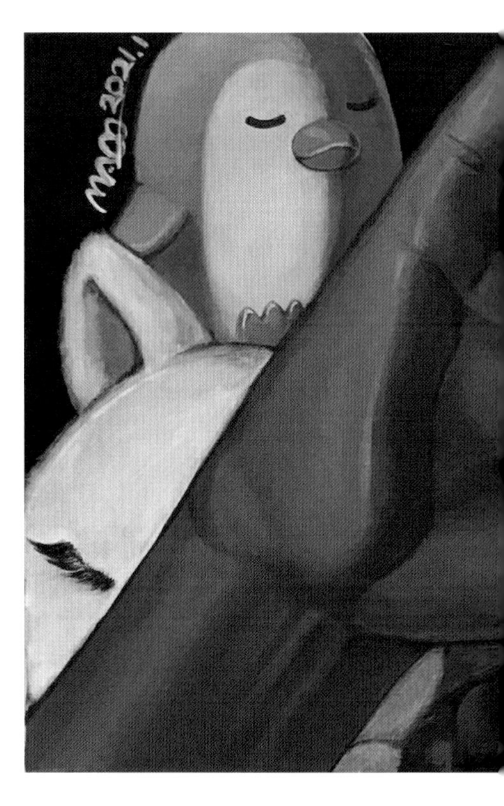

★（上）《私の心を乱す君の存在 a》2021年、158×227mm、
アクリル絵の具・ジェッソ / キャンバス

（下）《私の心を乱す君の存在 b》2021年、158×227mm、
アクリル絵の具・ジェッソ / キャンバス

★《授ける》2019年、410×273mm、アクリル絵の具・ジェッソ / キャンバス

★《Cleanse》2019年、273×410mm、アクリル絵の具・ジェッソ / キャンバス

肉感的な裸体を晒しながら繰り広げられる、欲望にまみれた饗宴

とても肉感的な男女を描く画家である。しかもその男女は、裸体を堂々と晒している。肌の色は肉体の存在感を際立たせる濃厚なもので、筋肉や脂肪の付き方などもはっきり強調されて描かれている。

個展を開催したSUNABAギャラリーの画廊主が興味深いことを指摘している。Ma marumaruの作品は、性的な行為の様子もしばしば描かれるものの、「面白いことにMa marumaruの作品中に出てくる男女は、いつも男と男、女と女という同性のカップリングで登場するか、性別不明の両性具有的人物として描かれて」いるというのだ。なるほど確かに、そこには性差による力関係は存在せず、裸であっても、それは誘惑の手段というわけでもなさそうだ。それはただ単に、欲望のまっ正直な発露としての裸だ。

今回の個展では「饗宴」がテーマとなり、食べて飲むシーンが描かれる。食はもちろん、性と同様の原初的な欲望だ。描かれる姿は、上品に味わっているような感じではなく、秘密の快楽を共有し、淫らな境地へ至るための道具として食があるように見える。しかし先の指摘のように、カップリングの特質ゆえその境地は、俗な性的関係に堕していくことがない。この饗宴は、既成の倫理をも踏み越えて、エンドレスに続いていくのだろう。

（沙月樹京）

※Ma marumaru 個展「饗宴への招待状」は、2021年6月19日〜23日に、大阪・中崎町のSUNABAギャラリーにて開催された。

◎TH Art series

◎話題書

珠かな子 写真集「肌に降る七星」
978-4-88375-446-5／B5判・80頁・カバー装・税別2500円
●「日差しを浴びてその肌は、小さな星屑がスパークするかのようにきらめいていた」――珠かな子が、七菜乃の原初の力と「蜜」を写す！

珠かな子 写真集「いまは、まだ見えない彗星」
978-4-88375-371-0／B5判・64頁・ハードカバー・税別2700円
●私にとってセルフポートレートは〝可愛さと強さの脅迫〟だ。私たちには無数の未来があって、女の子は強くなれる。待望の写真集!!

駕籠真太郎 画集「死詩累々」
978-4-88375-403-8／A4判・128頁・カバー装・税別3200円
●奇想漫画家・駕籠真太郎、初の本格的画集！ 猟奇的だけど可愛らしく、アブノーマルだけどユーモラスな、不謹慎すぎるアートワークの全貌！

目羅健嗣(絵) 冬木洋子(詩)「楽園のかけら～ねこの詩画集」
978-4-88375-435-9／A5判・64頁・カバー装・税別2000円
●愛らしかったり、ちょっとすねた感じだったり…人気猫絵師・目羅健嗣の絵に作家・冬木洋子が幻想的な詩を添えた珠玉の詩画集。

小川貴一郎 作品集「監禁芸術 confinement art」
978-4-88375-419-9／A5判・128頁・カバー装・税別2500円
●1日目、イヴ・サンローランに蟻を描いた。COVID-19の流行で渡仏が延期になり、緊急事態宣言発令中、家にこもって制作し続けた芸術の記録。

◎人形・オブジェ作品集

「Dolls in labyrinth～田中流・人形写真館」
978-4-88375-449-6／A5判・112頁・並製・税別1636円
●球体関節人形たちの夢の迷宮。可愛らしかったり妖しげだったり…田中流が、12人の人形作家の作品の魅力を写し出した写真集。

田中流 球体関節人形写真集「Dolls～瞳の奥の静かな微笑み」
978-4-88375-373-4／A5判・96頁・カバー装・税別2300円
●若手からベテランまで、多彩なタイプの球体関節人形を撮影し、その魅力とともに、現代の創作人形の潮流をも写した写真集!!

神宮字光 人形作品集「Cocon」
978-4-88375-378-9／A5判・64頁・ハードカバー・税別2700円
●ビスクなどで作られた愛おしい人形達がさまざまなシチュエーションの中で遊ぶ、かわいくも、ときにシュールでミラクルな世界！

清水真理 人形作品集「Wonderland」
978-4-88375-364-2／B5判・64頁・ハードカバー・税別2750円
●肉体と霊魂、光と闇、聖と俗…それらの狭間で息づく、人形たちのワンダーランド。多彩な活躍を続ける清水の近年の作品の魅力を凝縮！

ホシノリコ 作品集「蒼燈のばら」
978-4-88375-326-0／B5判・64頁・ハードカバー・税別2750円
●艶かしく息づく球体関節人形、幻想的な物語奏でるオブジェ。ホシノの10年の歩みをまとめた待望の作品集！ 写真＝吉田良、田中流

与偶 人形作品集「フルケロイド FULLKELOID DOLLS」
978-4-88375-265-2／A5判・68頁・ハードカバー・税別2750円
●園子温推薦！ 多くの人の心に突き刺さっている、凄みのある作品たち。20年の作家生活をここに総括。横4倍になる綴じ込み2枚付！

木村龍 作品集「光速ノスタルジア」
978-4-88375-245-4／B5判・96頁・ハードカバー・税別3500円
●ボックスアートから彫像的作品、球体関節人形、絵画などまで、妖美で奇矯、かつ純真な世界を濃密に凝縮した、待望の初作品集!!

林美登利 人形作品集「Night Comers～夜の子供たち」
978-4-88375-288-1／A5判・96頁・ハードカバー・税別2750円
●異形の子供たちは、夜をさまよう――「Dream Child」に続く、人形・林美登利、写真・田中流、小説・石神茉莉のコラボ、第2弾！

◎北見隆作品集

北見隆 装幀画集「書物の幻影」
978-4-88375-398-7／B5判・96頁・ハードカバー・税別3200円
●赤川次郎、恩田陸、中島らも、津原泰水…あのワクワクは、この絵とともにあった！ 40年の装幀画業から、約400点を収録した決定版画集！

北見隆 作品集「本の国のアリス～存在しない書物を求めて」
978-4-88375-223-5／A5判・64頁・ハードカバー・税別2750円
●本そのものが、「アリス」の物語の、愉快な舞台(ワンダーランド)に！ 本の形をした"ブックアート"を中心に、不思議な物語に満ちた作品集!!

◎杉本一文画集

「杉本一文『装』画集～横溝正史ほか、装画作品のすべて」
978-4-88375-287-4／A4判・128頁・カバー装・税別3200円
●横溝正史といえば、杉本一文。数多く手がけてきた装画作品の中から、横溝作品を中心に約160点を精選して収録した待望の画集!!

「杉本一文銅版画集」
978-4-88375-286-7／A5判・128頁・カバー装・税別2500円
●幻想とエロスの桃源郷――杉本一文のもうひとつの顔、銅版画の代表作を装画作品から蔵書票まで約200点収録！

◎幻想画集

高田美苗 作品集「箱庭のアリス」
978-4-88375-393-2／B5判・64頁・ハードカバー・税別2700円
●混合技法によるタブローから銅版画まで、少女をモチーフとした夢幻世界を描き続ける高田美苗の軌跡を集約した、待望の作品集！

スズキエイミ 作品集「Eimi's anARTomy 102」
978-4-88375-358-1／B5判・64頁・ハードカバー・税別2750円
●"美の本質は肉体、肉体の本質は死"。名画などを巧みに組み合わせて作り上げられた解剖学的でシニカルな美の世界。国内初の作品集！

森環 画集「愛よりも奇妙～Stranger than love」
978-4-88375-264-5／B5判・64頁・ハードカバー・税別2750円
●なんて奇妙な、ワンダーランド！「ボローニャ国際絵本原画展」入選など、不思議な世界観で人気の画家の幻想的な鉛筆画集！

椎木かなえ 画集「同じ夢～Same Dream～」
978-4-88375-252-2／A5判・64頁・ハードカバー・税別2750円
●闇に住まう人の、いびつな愛と、不穏な夢。奇妙で秘儀的な心象風景が、観る者を夢幻の世界へ導く、椎木かなえの初画集!!

町野好昭 画集「La Perle(ラ・ペルル)―真珠―」
978-4-88375-132-7／A5判・64頁・ハードカバー・税別2800円
●中性的な少女の純化されたエロスを描き続けてきた孤高の画家、町野好昭の幻想世界をよりすぐった待望の作品集！

◎写真集

美島菊名 写真作品集「HOPE」
978-4-88375-308-6／B5判・64頁・ハードカバー・税別2750円
●少女よ あなたは 世界を変える――少女の無垢と欲望を、インパクトあるヴィジュアルで表現してきた美島菊名、初の写真作品集！

村田兼一 写真集「女神の棲家」
978-4-88375-416-8／B5判・96頁・ハードカバー・税別3200円
●古の女神を現代の少女に重ね合わる――魔術的なエロスやタナトスと、御伽のような叙情性が混交する村田兼一写真集、第7弾！

谷敦志 写真集「Flowers and Nudes」
978-4-88375-284-3／A4判・64頁・ハードカバー・税別3800円
●透き通るような静けさをまとう、ヌードと花。進化し続ける孤高のアーティストの「今」が詰まった、最新写真集！ A4サイズの豪華版！

谷敦志 写真集「アンビバレンス」
978-4-88375-148-8／A5判・64頁・ハードカバー・税別2800円
●ダークでカオティック、フェティッシュでアヴァンギャルド、そして最高にスタイリッシュ！ 異型の写真家の処女写真集!!

◎暗黒メルヘン絵本シリーズ

鳥居椿(絵) 最合のぼる(文・写真・構成)
「青いドレスの女～暗黒メルヘン絵本シリーズ3」
978-4-88375-427-4／B5判・64頁・カバー装・税別2255円
●こんな美しい悪夢なら毎晩でも見たい――深澤翠／不穏な空気感で少女を描く鳥居椿と、最合のぼるによるヴィジュアル物語！

たま(絵) 最合のぼる(文・写真・構成)
「夜間夢飛行～暗黒メルヘン絵本シリーズ2」
978-4-88375-392-5／B5判・64頁・カバー装・税別2255円
●《暗黒メルヘン絵本シリーズ》第2弾は少女主義的水彩画家・たまが登場！「残酷で愛らしい、手加減なしの毒入り絵本です」―林美登利

◎少女系画集

たま 画集「Calling～少女主義的水彩画集VI」
978-4-88375-357-4／B5判・52頁・ハードカバー・税別2750円
●"現代の少女聖画"。ダーク＆キュートな作品で人気のたまの画集、第6弾！ 折込み塗り絵や、中野クニヒコによる立体作品も収録！

安蘭 画集「BAROQUE PEARL～バロック・パール」
978-4-88375-213-3／A5判・72頁・ハードカバー・税別2750円
●哀しみや痛みなどを包み込み、いびつだからこそ心を灯す、安蘭の"美"。耽美画家・安蘭の約10年の軌跡を集約した待望の画集！

深瀬優子 画集「Kingdom of Daydream～午睡の王国」
978-4-88375-167-9／A5判・64頁・ハードカバー・税別2750円
●油彩とテンペラの混合技法などによりメルヘンチックで愛らしく、でも少しシュールな作品を描き続けている深瀬優子の初画集！

須川まきこ 画集「melting～融解心情」
978-4-88375-137-2／A5判・112頁・ハードカバー・税別2800円
●欠けていることのエレガンスをセンシティブに描く須川まきこ待望の画集！〝まるで わたしは つくりものの 人形〟

根橋洋一 画集「秘蜜の少女図鑑」
978-4-88375-154-9／A5判・64頁・ハードカバー・税別2800円
●原色に埋もれたイノセントでセクシュアルな少女たちのコレクション！ 少女への幻想に彩られた根橋洋一の世界を集約した処女画集!!

こやまけんいち 画集「少女たちの憂鬱」
978-4-88375-096-2／A5判・64頁・ハードカバー・税別2800円
●痛みと遊ぶ少女たちを繊細に描く。女の子たちは完全すぎて、傷つけないではいられない。鋏で、サクリと。―西岡智(西岡兄妹)

◎ExtrART（エクストラート）～異端派ヴィジュアルアート誌

file.29◎FEATURE：見る／見えることの異相
A4判・112頁・並装・1200円（税別）・ISBN978-4-88375-442-7
●金巻芳俊、倉崎稜希、泥方陽菜、山村まゆ子、根橋洋一、平良志季、晝正、吉田有花、高齊りゅう、奥村あか、須川まきこ ほか

file.28◎FEATURE：少女への夢想曲
A4判・112頁・並装・1200円（税別）・ISBN978-4-88375-436-6
●イヂチアキコ、くるはらきみ、九鬼匡規、鈴木那奈、傘嶋メグ、蕾／pick up＝吉岡里奈、中尾変、吉田和夏、清水真理、田中流、林美登利

file.27◎FEATURE：死を想い、生を描く
A4判・112頁・並装・1200円（税別）・ISBN978-4-88375-430-4
●亀井三千代、伊東明日香、村上仁美、ある紗、田中童夏、キジメッカ、多賀新、東學、山本竜基、髙瀬実穂子、北見隆、後藤麦×今大路智枝子

file.26◎FEATURE：リアルを紡ぎ出す
A4判・112頁・並装・1200円（税別）・ISBN978-4-88375-417-5
●戸泉恵徳、建石修志、山中綾子、田川弘、中島綾美、吉田有花×宮崎まゆ子×きゃらあい、蝋田式、四学科松太、寺澤智恵子ほか

file.25◎FEATURE：ヒトガタは語る
A4判・112頁・並装・1200円（税別）・ISBN978-4-88375-408-3
●三浦悦子、Mekkedori、ヒロタサトミ、垂狐、田野敦司、日隈愛香、横倉裕司、羅入、成田朱希、サワダモコ、山本有彩、塙興子ほか

file.24◎FEATURE：幽玄を垣間見る
A4判・112頁・並装・1200円（税別）・ISBN978-4-88375-395-6
●上田風子、高田美苗、濵口真央、奥田鉄、土田圭介、南花奈、白野有、武田海、村山大明、日影眩、神宮字光、黒木こずゑ×最合のぼる

file.23◎FEATURE：秘めた、この思い
A4判・112頁・並装・1200円（税別）・ISBN978-4-88375-385-7
●池田ひかる、新宅和音、谷原菜摘子、野原tamago、井桁裕子、朱華、日野まき、菊地拓史・森馨、田中流、渡邊光也、千葉和成、TOKYO 2021 美術展

file.22◎FEATURE：隠されていた"美"
A4判・112頁・並装・1200円（税別）・ISBN978-4-88375-372-7
●蛭田美保子、スズキエイミ、椎木かなえ、たま、Kamerian.、ディナ・ブロツキー、井上洋介、生熊奈央、衣（はとり）、垂狐、ベルリン・悪魔の山 ほか

file.21◎FEATURE：うつろう、イメージ
A4判・112頁・並装・1200円（税別）・ISBN978-4-88375-360-4
●菅澤薫、大河原愛、有坂ゆかり、大塚咲×七菜乃、夜乃雛月、ニコライ・パタコフ、亜由美、櫻井紅子、吉田有花×ある紗、大島哲以 ほか

file.20◎FEATURE：夢幻の国を逍遥する
A4判・112頁・並装・1200円（税別）・ISBN978-4-88375-346-8
●佐久間友香、木村了子、中村キク、永井健一、長谷川友美、P.ファーガソン、池島康輔、須川まきこ、立島夕子、こやまけんいち、松下まり子 ほか

file.19◎FEATURE：その存在の、ミステリアス
A4判・112頁・並装・1200円（税別）・ISBN978-4-88375-338-3
●藤井健仁、棚田康司、モリケンイチ、後藤温子、中井結、トロイ・ブルックス、ホシノリコ、新竹季次、中川ユウヰチ、宮本香那、江村玲 ほか

file.18◎FEATURE：イノセンスが見る夢
A4判・112頁・並装・1200円（税別）・ISBN978-4-88375-323-9
●美島菊名、Risa Mehmet、泥方陽菜、雨宮沙月、月夜乃散歩、ローズ・フレイマス-フレイザー、松永賢、勝野眞言、高松ヨク ほか

file.17◎FEATURE：説話的世界へようこそ
A4判・112頁・並装・1200円（税別）・ISBN978-4-88375-315-4
●夢島スイ、フォレスト・ロジャース、深瀬優子、ある紗、渡辺つぶら、ごとうゆりか、佐藤久雄、大江慶之、安蘭、ドイツのグラフィティ ほか

◎トーキングヘッズ叢書（TH Seires）

No.87 はだかモード～はだける、素になる文化論
A5判・208頁・並装・1389円（税別）・ISBN978-4-88375-444-1
●タブー視されてきた「はだか」、そして「はだけること」をめぐる文化の諸相。珠かな子、七菜乃、彫師・SHIGEインタビュー、人はなぜ裸という無垢を捨てたか、黒田清輝と裸体画論争、偏愛のヌーディズム、絵本『すっぽんぽんのすけ』、映画におけるヌード表現史、バタイユとクロソウスキー、銭湯・温泉主義者たちの裸のユートピア他

No.86 不死者たちの憂鬱
A5判・224頁・並装・1389円（税別）・ISBN978-4-88375-439-7
●不死は幸福か？苦しみか？——『ポーの一族』、ヴァンパイアと浦島太郎、『ガリヴァー旅行記』、『火の鳥』からヒーラ細胞へ、クレア・ノースの孤独、ドリアン・グレイ、韓国SF、不老不死になれる（かもしれない）秘薬・霊薬・仙薬、荒川修作、不老不死を生きる童話世界の住民、サザエさんシステム、20年代まんが試論、不死の怪物ブルガサリ他

No.85 目と眼差しのオブセッション
A5判・208頁・並装・1389円（税別）・ISBN978-4-88375-433-5
●窃視、邪視から千里眼、眼球まで、オブセッションの数々！ 図版構成/泥方陽菜・神宮字光・下田ひかり、邪視にまつわる民俗史、眼球考～ルドンの絵から、映画から考えた覗き見の功罪、「屋根裏の散歩者」の愉悦、法医学オプトグラフィー、千里眼事件、『ジャガーの眼』を通して唐十郎が寺山修司に捧げたもの、panpanyaが「見る」世界 ほか

No.84 悪の方程式～善を疑え!!
A5判・224頁・並装・1389円（税別）・ISBN978-4-88375-421-2
●「悪」を意識することは、この世の「善」に対して疑いを差し挟むことだ——ダークナイト・トリロジーにみる悪の本質、〈アート〉と〈革命〉は常に悪である～テロ的アートの系譜、「黒い幽霊団（ブラック・ゴースト）」には悪意がない、警官を蹴るチャップリン、悪いヤツはだいたいイケメン～少女漫画におけるモラルとエロス、娼婦と聖性ほか満載！

No.83 音楽、なんてストレンジな！
A5判・224頁・並装・1389円（税別）・ISBN978-4-88375-412-0
●音楽は文化の結節点だ。パンクや電子音楽、ノイズなどから、クラシックまで、音楽をめぐる、少々ストレンジなイマジネーション！恍惚のアヴァンギャルド音楽偏愛史、パンクとポストパンクの思想的地下水脈、イスラムにおける音楽、近代日本の音楽の闇、ワーグナーの共苦と革命、バッハのもとに本当にニシンは降ったのか ほか

No.82 もの病みのヴィジョン
A5判・224頁・並装・1389円（税別）・ISBN978-4-88375-402-1
●「病み」＝「闇」のヴィジョン。人形作家・与偶トークイベントレポ、梅毒をめぐる幾つかの逸話と謎、舞踏病と死の舞踏、「吸血鬼ノスフェラトゥ」とペストのパンデミック、草間彌生の小説『すみれ強迫』、美人薄命の文化史、病と日本人、舞踊家・土方巽の〈病み〉、澁澤龍彦と病、病弱な少年、「ジョーカー」、「ベニスに死す」ほか

No.81 野生のミラクル
A5判・208頁・並装・1389円（税別）・ISBN978-4-88375-389-5
●野生からわれわれは何を学び、何を表現の糧にしてきたか。ケロッピー前田インタビュー～野生を取り戻してテクノロジーを乗りこなせ、管理された野生、粘菌、牧神、人豚、八化けタヌキ、シュルレアリスムのアフリカ、スクリーンの変身人間、キム・ギヨンが描く〝オス〟と〝メス〟、異類婚姻譚、動物フォークロア、映画『ZOO』ほか

No.80 ウォーク・オン・ザ・ダークサイド～闇を想い、闇を進め
A5判・224頁・並装・1389円（税別）・ISBN978-4-88375-376-5
●新たな想像力は闇から生まれる。［図版構成］濵口真央、C7、新宅和音、紺野真弓、宮本香那、萌木ひろみ、谷原菜摘子。タスマニアの美術館MONA、書肆ゲンシシャの驚異のコレクション、日本の闇を感じさせるゲゲゲスポット紀行、闇の文学史～連鎖する自死、萩尾望都が描き始めた「楽園の裏側」、カタコンブという世界の裏ほか。

アトリエサードの出版物の購入のしかた・通信販売のご案内

●アトリエサードの出版物が書店店頭にない場合は、書店へご注文下さい（発売＝書苑新社と指定して下さい。全国の書店からOK）。
●Amazonなどネット書店もご活用下さい。

●出版物の詳細はサイト http://www.a-third.com/ へ！ ネット通販でもご購入できます。
■各書籍の詳細画面でショッピングカートがご利用になれます。■郵便振替 / 代金引換 / PayPal で決済可能。

■インターネットをご利用になれない方は、郵便局より郵便振替にて直接ご送金いただいても結構です（ここに掲載している値段は税別なので、必ず消費税を加算して下さい。送料は不要。また連絡欄に希望書名・冊数を明記のこと）。入金の通知が届き次第、発送します（お手元に届くまで、だいたい5～10日ほどお待ち下さい）。振込口座／00160－8－728019　加入者名／有限会社アトリエサード
■また TEL.03-6304-1638 にお電話いただければ、代金引換での発送も可能です（取扱手数料350円が別途かかります）

出版物一覧

アトリエサードHP

AMAZON（書苑新社発売の本）